La Tierra herida

Divulgación
Actualidad

Miguel Delibes
Miguel Delibes de Castro

La Tierra herida
¿Qué mundo heredarán nuestros hijos?

 DESTINO

© Miguel Delibes y Miguel Delibes de Castro
© Ediciones Destino, S. A., 2007
  Avinguda Diagonal, 662, 6.ª planta. 08034 Barcelona (España)

Diseño de la cubierta: Vicente Morales / Departamento de Diseño,
  División Editorial del Grupo Planeta
Ilustración de la cubierta: Opalworks
Fotografía de los autores: © Miguel Delibes Mateos
Primera edición en Colección Booket: marzo de 2007

Depósito legal: M. 3.565-2007
ISBN: 978-84-233-3846-7
Composición: Pacmer, S. A.
Impresión y encuadernación: Brosmac, S. L.
Printed in Spain - Impreso en España

Miguel Delibes nació en Valladolid en 1920, se dio a conocer con *La sombra del ciprés es alargada*, Premio Nadal 1947. Entre su vasta obra narrativa, destacan *Mi idolatrado hijo Sisí, Diario de un cazador, El camino, Las ratas, Cinco horas con Mario, Las guerras de nuestros antepasados, Los santos inocentes, Señora de rojo sobre fondo gris* y *El hereje*. Entre 1958 y 1963 fue director de *El Norte de Castilla*. Su obra literaria le ha valido el Premio Nacional de Literatura (1955), el Premio de la Crítica (1962), el Premio Nacional de las Letras (1991) y el Premio Cervantes de Literatura (1993). Desde 1973 es miembro de la Real Academia Española.

Miguel Delibes de Castro nació en Valladolid en 1947, es doctor en Ciencias Biológicas y en 1978 ingresó por oposición en el Consejo Superior de Investigaciones Científicas, donde es profesor de investigación. De 1988 a 1996 fue director de la Estación Biológica de Doñana. Ha publicado artículos sobre ecología en las revistas más prestigiosas, además de libros de divulgación, como *Vida, la naturaleza en peligro*. Colaboró con Félix Rodríguez de la Fuente en la redacción de la enciclopedia *Fauna*. Ha sido galardonado con el Premio del Mérito a la Conservación del WWF Internacional, el Premio de Protección Ambiental de la Junta de Castilla y León y el Premio a la Protección del Medio Ambiente Rei Jaume I.

«No, aire,
no te vendas,
que no te canalicen,
que no te entuben,
que no te encajen
ni te compriman,
que no te hagan tabletas,
que no te metan en una botella,
¡cuidado!»

Pablo Neruda,
Oda al aire

Hace casi treinta años, con ocasión de mi ingreso en la Real Academia de la Lengua, aproveché el auditorio más intelectual y cultivado que de costumbre para dar salida a mi angustia sobre el futuro de la Tierra. El discurso que pronuncié entonces dio lugar a un libro titulado SOS *primero y* Un mundo que agoniza *después. Aunque ha pasado mucho tiempo, aquella preocupación mía por el medio ambiente no ha disminuido, sino al contrario. Cualquiera que en los últimos lustros haya estado al tanto de mis declaraciones públicas, o leído mis crónicas de caza y pesca, puede atestiguarlo. El abuso del hombre sobre la naturaleza no sólo persiste, sino que se ha exacerbado: agotamiento de recursos, contaminación, escasez de agua dulce, desaparición de especies... Además, nuevos nubarrones, que en los años setenta aún no percibíamos, han aparecido, amenazadores, en el horizonte, especialmente dos: el adelgazamiento de la capa de ozono y el cambio climático.*

Respecto al clima debo decir que, quizás por castellano y hombre de campo, siempre me ha interesado especialmente. Gran parte de mi vida ha transcurrido al aire libre, entre labradores que fiaban su futuro a las veleidades del cielo; hombres y mujeres que dependían para subsistir antes de los caprichos de la sequía, el pedrisco o la helada negra, que del propio esfuerzo. ¿Qué sería de ellos, y de quienes ne-

cesitábamos su trabajo, si el clima cambiara? ¿Y cómo se manifestaría ese cambio? Con frecuencia había leído vaguedades sobre el calentamiento de la Tierra, pero tras el verano de 2003 (un infierno de cinco meses), julio de 2004 me sorprendió en Sedano, un pueblecito del norte de Burgos, con temperaturas durante las madrugadas de dos y tres grados en los páramos y máximas de 25 °C a lo largo del día. «Esto no es lo convenido», me decía a mí mismo. Yo no había olvidado el bochorno sostenido del verano anterior, los casi cincuenta grados del sur del país. En aquel momento me pareció indudable que el cambio de clima había dejado de ser una conjetura para convertirse en una evidencia. Es decir, que ya no era momento de teorizar sobre la amenaza, puesto que la amenaza se había hecho realidad. Pero entonces, ¿qué significaba aquella friura del amanecer un año más tarde? ¿Tal vez mis temores estaban infundados? Si las razones que justificaban el cambio climático no se habían alterado en doce meses, ¿por qué este sube y baja de los termómetros?

En aquellas circunstancias, aproveché una visita de mi hijo Miguel, unos meses después de haber sido galardonado por el Rey con el Premio Jaume I El Conqueridor por sus desvelos ambientales, para hacerle ver mi perplejidad. Dejé caer una serie de preguntas relacionadas entre sí en un tono intrascendente, que seguramente traslucía, sin embargo, mi honda preocupación. Sus respuestas, empero, fueron tan incitantes y prolijas que en poco más de veinte minutos nos habíamos enredado en una conversación, para mí reveladora y apasionante, sobre el futuro de la Tierra. Al final de aquella mañana ya había convencido a Miguel para extender nuestra charla y tratar, además, de darle publicidad, pues me parecía obligado que los habitantes del Planeta conocieran la opinión de los científicos sobre la situación por la que éste atraviesa. ¿Qué puede decirle un estudioso de la naturaleza a un ciudadano, como soy yo, ignorante pero preocupado? ¿Los argumentos de los expertos son tranquilizadores o, por el contrario, suficientes para aumentar nuestra preocupación? Y había algo más: si los problemas son reales, ¿por qué no se les pone remedio?

Un poco sin plan previo, empezamos a hablar en Sedano mediado julio de 2004, mas nuestra conversación habría de extenderse, con las pausas naturales, esos pocos días que estuvo en el pueblo, buena parte de sus vacaciones de verano y otros fines de semana en los últimos meses, cuando vino a visitarme.

Todo surgió, en cualquier caso, cuando se me ocurrió decirle, como de pasada:

—¿Tú puedes explicarme por qué tras un verano tórrido sin precedentes en España, largo de mayo a octubre, sobreviene un verano mucho más fresco que de ordinario (hablo de esta zona castellano-leonesa en la que estamos)? ¿Cuál es la razón de que la Tierra se caliente o se enfríe a capricho, si, por lo que sé, el efecto invernadero y la debilidad de la capa de ozono siguen siendo problemas no resueltos?

Caprichos del clima

11

—Las cosas no son tan sencillas como piensas. Es cierto que hay una tendencia general al calentamiento, pero eso no quiere decir que necesariamente tenga que hacer cada día más calor que el anterior o que cada verano sea más cálido que el precedente. Y menos aún en un mes o un lugar determinados, como puede ser julio en el norte de España (por ejemplo, aunque en Sedano haga fresco estos días, el pasado 29 de junio sufrimos en Sevilla la noche más cálida en mucho tiempo, con una mínima de más de 30 °C). Los expertos creen poder predecir el clima futuro en un marco general, global, como solemos decir, pero sus modelos (representaciones simplificadas de la realidad mediante simulaciones de ordenador) apenas permiten descender con detalle a escalas locales, donde además influyen muchos otros factores, como el uso del suelo en el entorno próximo. Por otra parte, entiendo que es una cuestión de probabilidades, que es más probable que pasemos mucho calor en verano ahora que hace veinte años, y lo será más aún dentro de otros veinte. Y en cuanto a este verano, aún no cantes victoria, que no está mediado. Ya veremos qué ocurre en agosto.

—*¿Pero ésa es tu opinión o te basas en datos concretos? Para llegar a alguna parte necesitamos hablar con cierto rigor.*

—Considerando la temperatura media de la Tierra, la década más suave desde 1861, fecha en que empiezan a conservarse los registros, ha sido la última del siglo xx, entre 1990 y 1999, y el año más cálido fue 1998, seguido por 2002 y 2003. Los estudiosos saben que la media mundial ha aumentado casi 0,7 grados en el último siglo. Puede parecer poco, pero es un cambio importante y, sobre todo, muy rápido (para que compares, en la época de las glaciaciones, cuando los casquetes de hielo polares cubrían gran parte de Europa, la temperatura media apenas era cinco grados inferior a la actual, y hace tres siglos, en la llamada Pequeña Edad del Hielo en el Viejo Continente, sólo un grado más baja). Además, parece demostrado que la subida de la temperatura en España ha sido superior a la media global.

Recientemente el meteorólogo Francisco Ayala Carcedo, que es asesor científico del Grupo para el Cambio Climático en la ONU, ha puesto de manifiesto que el aumento de temperatura como consecuencia del efecto invernadero no sólo se ha hecho sentir ya en España, sino que es más grave de lo que suponíamos. Entre los años 1971 y 2000 la temperatura media anual de la España peninsular ha aumentado más de un grado y medio, es decir entre dos y tres veces más que el promedio de toda la Tierra en cien años. Su conclusión es que estamos asistiendo a una verdadera «africanización» del clima del país, de manera que las temperaturas en el sur de España son ya parecidas a las que se registraban en el norte de Marruecos en 1975.

—Hablas del «cambio climático a consecuencia del efecto invernadero». ¿Es que hay otro? El agujero de la capa de ozono, ¿no es el causante, o uno de los causantes, de ese efecto? ¿O son cosas relacionadas pero distintas? M.ª Luz Paisan Grisolía, sobrina de Grisolía, el sabio valenciano, compañero de Severo Ochoa, que tanto hace por esos premios Rey Jaume I, ha escrito en Adelaida (Australia) una tesis sobre mi obra y con ese motivo hemos intercambiado varias cartas. Yo aproveché nuestra relación y su amabilidad para hablar de los efectos del sol sin el filtro del ozono en Australia. Sus informes no podían ser más negativos. La gente, me dice en una de sus cartas, baja a la playa tapada, se desviste o se quita el albornoz a la orilla del mar y se da un baño corto. Es lo mismo que sean niños o grandes. Al regresar a la arena vuelven a cubrirse y, sin tomar un minuto de sol, se marchan a casa a comer. ¿Qué te parece? Esto no es un informe alarmista de un australiano radical, sino el de una muchacha española, intelectual e inteligente, que reside allí. «Lo veo todos los días», dice. Por supuesto, tengo otras noticias de los efectos del sol directo sobre las merinas del Cono Sur chileno, que deambulan con los ojos ciegos, reventados, siguiendo de oído la marcha de los marotos. Aunque los informantes no sean hombres particularmente instruidos, no hay razón para no creerlos.

—Seguramente tienes razón y he hablado con poca precisión, tal vez porque me contagio del afán periodístico por resumir en titulares muy cortos asuntos largos y complicados. Referirnos sólo al cambio climático puede ser ambiguo, pues el clima varía de forma natural y, por supuesto, lo ha hecho muchas veces en la historia de la Tierra, antes y después de que existiéramos los humanos y al margen de nuestro comportamiento. Esos cambios ocurren a distintas escalas, casi siempre en lapsos de tiempo muy largos, pero a veces de forma brusca, en milenios, o incluso en periodos más cortos. La catalana Belén Martrat, por ejemplo, en su trabajo de tesis doctoral, ha comprobado que la temperatura del mar Mediterráneo en las costas españolas ha subido y bajado de forma muy significativa en múltiples ocasiones a lo largo de los últimos doscientos cincuenta mil años. Las razones de los cambios climáticos son numerosas y condicionan de distinta manera la periodicidad de los ciclos: la actividad del Sol, que no es constante, la cantidad de polvo interestelar, la inclinación del eje de nuestro planeta y su posición relativa respecto al Sol, la forma de la órbita terrestre, la disposición de los continentes, que ha cambiado a lo largo del tiempo, la actividad volcánica en la Tierra, los tipos y niveles de actividad biológica, que afectan a la composición de la atmósfera, las corrientes marinas, que distribuyen calor por la superficie terrestre y cuyas alteraciones pueden provocar regionalmente cambios muy repentinos de la temperatura, etc. Por eso conviene aclarar que cuando hablamos del cambio climático general nos estamos refiriendo, casi siempre, al relacionado con el efecto invernadero, y no a otro.

Pero incluso ese matiz es incompleto o, peor aún, inexacto, pues el efecto invernadero de la atmósfera es natural e imprescindible para la vida en la Tierra tal y como la conocemos. En realidad, si quisiéramos hablar correctamente deberíamos referirnos, cada vez, al «cambio climático o calentamiento mundial debido al incremento del efecto invernadero que se origina como consecuencia de las actividades humanas», pero es una frase demasiado larga, poco práctica para trabajar con ella.

En cuanto a la segunda parte de tu pregunta, los vecinos australianos de la sobrina de don Santiago Grisolía hacen muy bien protegiéndose del sol, pues la debilidad de la capa de ozono en las proximidades del Polo Sur puede producir quemaduras e incluso tener efectos peores a largo plazo. De hecho, hace quince años se publicó que muchas de las personas mayores de setenta y cinco años en el nordeste de Australia padecían algún tipo de cáncer de piel. Pero eso es bastante independiente del cambio climático que comentábamos. Si hubiera que encontrar una relación entre los dos asuntos, tal vez sería opuesta: de algún modo, la merma de la capa de ozono ayuda a que el incremento del efecto invernadero sea menos extremo, aunque el peligro que representa no compense el posible beneficio. ¡Pero ya habrá tiempo para hablar de ello!

—*O sea que el clima, a veces, cambia solo, sin nuestra influencia, que la abundancia de ozono no siempre es buena, sino que puede ser hasta perjudicial para el calentamiento... Me parece que tenemos que sistematizar un poco lo que hablamos, pues de otra manera voy a terminar más confundido que al comienzo. ¿Por dónde íbamos?*

—Creo que estábamos hablando de Ayala Carcedo, que ha analizado los datos correspondientes al periodo 1971-2000 en treinta y ocho observatorios meteorológicos distribuidos por toda la península y en treinta y seis ha detectado aumentos significativos de la temperatura media en estos treinta años. En algunos, como los de Valencia, Sevilla y Burgos, el incremento se acerca o supera los 2 °C, mientras que sólo en dos, Huelva y Lugo, la temperatura se ha mantenido estable. Y todavía ha cambiado de forma más llamativa la probabilidad de que ocurran pequeñas olas de calor en sitios frescos. Al comenzar la década de los setenta, en el observatorio de Navacerrada apenas se registraban cinco días por año con temperaturas máximas superiores a 25 °C; después de 1990, en cambio, en promedio se registran veinticinco días cada año por encima de esa máxima, y con cierta frecuencia se superan los treinta días. Imagino que algo parecido ocurrirá en Sedano, aunque aquí hablemos de pasar de 30 °C en lugar de 25 °C.

Menos invierno

—*Esto es grave, sin duda, pero creo que la falta de lluvia es asunto aún más preocupante. Parece que llueve bastante menos que antes, según los observa-*

torios provinciales. Y, desde luego, las precipitaciones de nieve han remitido últimamente.

—En España, la tendencia de la lluvia no es tan clara como la de las temperaturas. Parece evidente que cada vez llueve menos en invierno, y desde luego han disminuido notablemente los días de nieve. En el observatorio de Navacerrada, por ejemplo, se registraban aproximadamente cien días de nieve por año en 1970, y sólo sesenta días unos años después, a finales de siglo. También parece claro que, incluso si siguiera lloviendo lo mismo, el ascenso de las temperaturas estaría provocando ya mayor aridez, un déficit de agua dulce, pues por una parte aumenta la evaporación en marismas, lagunas, ríos y embalses, y por otra las plantas exigen mayor humedad, ya que transpiran más. No haber tenido en cuenta esos y otros efectos probables del cambio climático fue una de las mayores críticas a las previsiones del Plan Hidrológico que había preparado el gobierno de Aznar. Un informe de la Agencia Europea de Medio Ambiente que acaba de aparecer, por ejemplo, predice una disminución aguda del caudal de los ríos del sur del continente en los próximos decenios, con efectos especialmente notables en la vertiente mediterránea de la Península Ibérica. Cabe pensar que si los ríos van a llevar menos agua en el futuro, tal vez será inviable desviar parte de su caudal a otras cuencas.

—*Pero imagino que el cambio de clima habrá tenido ya consecuencias que se irán agravando por días.*

Pienso que nosotros, el pueblo llano, no estamos bas-tante informados sobre ello y creo que deberíamos es-tarlo. ¿Qué está pasando en este punto? Y sobre todo, ¿qué puede pasar?

—Es sencillo describir lo que está ocurriendo, al menos lo más directo e inmediato. E incluso po-demos ir más allá, pues ya estamos padeciendo no pocas consecuencias. Por ejemplo, el riesgo de in-cendios forestales es ahora más alto que antes, y asi-mismo han aumentado las dificultades para apa-garlos (un informativo radiofónico ha abierto este verano su edición nacional con el titular «Iberia en llamas»). Eso quiere decir que el miedo que tú te-nías en los últimos veranos, cuando Sedano estaba cercado por los fuegos, de ser trasladado con toda la familia a un polideportivo, no era ajeno al cam-bio climático. Pero hay muchos otros efectos, a ve-ces más sutiles, relacionados con la agricultura, la salud, los riesgos de catástrofes meteorológicas y, por supuesto, con la ecología y el equilibrio general del Planeta. Algunos de estos cambios, paulatinos, ya los hemos comentado tú y yo en Valladolid, pa-seando por el Campo Grande. El otoño pasado te hice ver que las hojas de los árboles parecían brotar antes en primavera y caer más tarde en otoño. Es así. En muchos lugares se han producido estas no-vedades durante lustros, demostrando que no era una simple impresión nuestra, sino un hecho. Hace tiempo se publicó que en Centroeuropa, entre Es-candinavia y Macedonia, las hojas de los árboles habían adelantado su salida un promedio de cinco días en los últimos treinta años. Claro que eso no es nada al lado de los álamos temblones de Canadá, cuyas yemas revientan un mes antes de la fecha habitual a comienzos del siglo xx.

—No sé si seguirá publicándose en España un viejo calendario que yo a veces he consultado y que registraba ese tipo de cosas tan curiosas...

—Voluntarios de numerosos países anotan los principales hitos fenológicos para las distintas instituciones que llevan a cabo el seguimiento de esos procesos y preparan los calendarios que mencionas. Las bases de datos acumuladas son más que una curiosidad, pues constituyen una herramienta preciosa para estimar los efectos del calentamiento terráqueo a medida que ocurren. Una de las mejores series disponibles en el mundo, en cantidad y calidad, corresponde al pueblecito catalán de Cardedeu, treinta kilómetros al norte de Barcelona, donde durante más de cincuenta años, desde 1952, un mismo observador, el señor Pere Comas, ha anotado cuidadosamente las fechas de aparición y caída de las hojas, salida de las flores y de maduración de los frutos de más de cien especies de plantas cultivadas y silvestres. También ha registrado las primeras fechas de cada año en que veía golondrinas, vencejos y distintas especies de mariposas, o cuando oía cantar los primeros ruiseñores, cucos y codornices.

Junto a mi amigo Josep Peñuelas y otros investigadores del CSIC, Pere Comas ha publicado los análisis de estos datos en una revista científica, y los resultados son apasionantes. Naturalmente hay altibajos (como decíamos antes, las tendencias son sólo eso, tendencias; no quiere decir que lo que ocurre un año se repita, incrementado, el siguiente), pero en promedio la aparición de las hojas de las plantas se ha adelantado dieciséis días y su caída se ha retrasado trece días a lo largo de la segunda mitad del siglo pasado. Si llamáramos invierno al periodo del año en el que los árboles están desnudos, sin follaje, en el 2000 esa estación hubiera sido (insisto, por término medio) un mes más corta que en 1952.

—*Pero ¿acaso responden todos los vegetales al unísono? La reducción del número de días de invierno, ¿afecta a toda la flora por igual?*

—No, por supuesto. Cada especie tiene una respuesta, lo que por un lado complica las cosas y por otro aumenta el interés. Por ejemplo, los fresnos y los manzanos adelantan más de un mes la salida de las hojas y retrasan once o doce días su caída; los avellanos, en cambio, brotan doce días antes y retrasan la pérdida de las hojas veintidós días. Y los perales son casi la imagen especular de los manzanos: adelantan la salida del follaje tan sólo ocho días, pero retrasan su caída más de un mes.

—*¿Por qué dices que complica las cosas?*

—Porque se producen desajustes entre unas especies y otras y eso puede tener consecuencias ecológicas importantes. Muchas plantas de Cardedeu y de todas las zonas no tropicales del mundo son muy sensibles al aumento de la temperatura, de manera que echan hojas y florecen una vez que han acumulado determinado número de horas de calor. Digamos que se sirven de esa capacidad de respuesta ante la temperatura para conseguir estar activas en el momento del año más adecuado. Pero la acumulación de calor no es la única «pista» posible y otras especies de plantas y animales utilizan claves diferentes para conseguir, en la práctica, lo mismo. Así, muchos vegetales y animales ajustan sus ciclos al cambio en la duración relativa del día y la noche. Como eso no se ha modificado, las especies que se ajusten a esa clave seguirán con los patrones fenológicos tradicionales, cada vez más diferentes de los nuevos. Si una determinada especie de planta adelanta su ciclo porque responde a la temperatura, por ejemplo, y los insectos que la polinizan no lo hacen, porque responden al número de horas de luz, se producirá un desacoplamiento entre ellos, y flores e insectos no coincidirán en el tiempo, lo que es problemático para ambos.

—Pero bueno, ¿estás elucubrando o esto que mencionas ha ocurrido ya en alguna parte? Ese desajuste entre unas especies que adelantan su ciclo por la temperatura mientras que otras, relacionadas con las primeras, no lo hacen porque responden a variables diferentes, ¿es una suposición o un hecho?

—Ya en 1998 se publicó en Inglaterra que los carboneros comunes, los pájaros, no han cambiado sus fechas de cría, y sin embargo los insectos de que se alimentan sí se han adelantado, de manera que cuando los pollitos carboneros necesitan más comida ya ha pasado la época en que sus presas son más abundantes. Lo mismo ha ocurrido en Holanda con los papamoscas cerrojillos: en 1980 la mayor parte de los pollitos nacía a primeros de junio, cuando había más orugas; en el año 2000 los pequeños papamoscas siguen naciendo más o menos por la misma fecha, quizás un poco antes, pero debido al adelanto de las plantas la mayor abundancia de orugas ocurre a mediados de mayo y los pájaros se la pierden, con penosas consecuencias para su éxito reproductor. Desajustes parecidos se están observando cada vez en más lugares, incluida España, y con distintos grupos de especies.

—*A propósito de pájaros, ¿también el ruiseñor y el cuclillo han adelantado las fechas primaverales de llegada a Cataluña? ¿Qué dice de eso el señor Comas?*

—Me cuenta Josep Peñuelas que, lamentablemente, don Pere Comas ha fallecido este año, tras haber registrado datos fenológicos casi hasta su muerte. No se lo podremos preguntar, por tanto, pero de sus notas se desprende que generalmente los pájaros migratorios no adelantan sus fechas de llegada, sino que, incluso, las retrasan. O, para ser más exactos, o no migran o, si lo hacen, cada vez llegan más tarde para criar. Habrás notado, por ejemplo, lo antiguo que se ha quedado aquello de «Por San Blas, la cigüeña verás», pues actualmente en muchos lugares se ven cigüeñas durante todo el invierno (en el mismo sentido, las espátulas de la pajarera de Doñana, que antes ocupaban los nidos en marzo o abril, ahora se instalan ya en enero). Tú mismo escribiste hace años, seguro que te acuerdas, acerca de las codornices que habían dejado de viajar a África y pasaban el invierno en Extremadura, donde, si no me equivoco, llegaste a cazarlas. Claro que ¡quién iba a imaginar entonces que ese fenómeno, que nos parecía una simple rareza, anunciaba un cambio climático que no sospechábamos! De todos modos, en las notas del señor Comas lo que se aprecian son retrasos. Las primeras golondrinas llegan a Cardedeu, ahora, una semana después que mediado el siglo XX, mientras que los primeros ruiseñores cantan casi quince días más tarde, y el más temprano reclamo de las codornices se hace esperar más de un mes respecto a las fechas tradicionales. Naturalmente, esto no quiere decir que para los pájaros no exista el calentamiento. Sucede, simplemente, que esas especies, que en su mayoría pasan el invierno al sur del Sáhara, responden a otros condicionantes, que pueden ser muy variados.

Efecto
invernadero

—*Pero hablas y hablas del calentamiento a consecuencia del efecto invernadero, como si tuviéramos claro de qué se trata. ¿Qué es, en concreto, el «efecto invernadero»? En pocas palabras, ¿en qué consiste?*

—Afortunadamente, el planeta Tierra, por sí mismo, sin nuestra aportación, es un gigantesco invernadero. De otro modo, como te dije al principio, no podríamos vivir.

—*Entonces, ¿por qué simpatizáis tan poco con el «efecto invernadero» como nuevo fenómeno? ¿Por qué razón no empleáis con él más que denuestos?*

—El efecto invernadero es un fenómeno natural y, te reitero, imprescindible para la vida en la Tierra tal y como funciona hoy. De no ser por el efecto invernadero, la temperatura media en la superficie del planeta sería de 18 °C bajo cero, nada menos que 33 °C más baja que ahora (la media terrestre es de 15 °C sobre cero). Ya habíamos comentado antes que en este tema existe cierta confusión, porque lo que nos preocupa y denostamos no es el efecto invernadero como tal, sino su reciente incremento, responsable del cambio climático o calentamiento general.

—*Para empezar, antes de complicarnos más, explícame cómo se produce ese efecto invernadero beneficioso del que hablas.*

—Nadie ignora que prácticamente toda la energía que recibe la Tierra llega del Sol en forma de radiación electromagnética, que percibimos como luz y calor. La temperatura de la superficie terrestre, en consecuencia, resulta de un balance entre la energía recibida del Sol y la que la propia Tierra refleja, devolviéndola al espacio exterior en forma de radiación infrarroja. Ocurre que una parte de la energía reexpedida por la Tierra no escapa directamente al espacio, sino que es retenida por algunos gases —los llamados hoy gases de efecto invernadero— que forman parte de la atmósfera. Esos gases se calientan y envían de nuevo energía hacia la superficie de la Tierra que, a su vez, absorbe una parte y devuelve otra, que será parcialmente retenida por los gases de invernadero... Así se origina un ciclo que retiene energía durante algún tiempo, de manera que, aunque las cantidades que entran y salen acaban siendo iguales (si no, la Tierra se calentaría indefinidamente), se alcanza un equilibrio térmico a mayor temperatura de la que correspondería si esos gases no existieran. El fenómeno físico es distinto del que hace caldearse un invernadero, pero como la imagen es muy gráfica, se le llama así. De alguna manera, es como si algunos gases de la atmósfera fueran la tapadera transparente que cierra el invernadero natural de la Tierra.

—¿*Qué gases son esos con capacidad para retener calor? ¡Recuerda que en el colegio nos enseñaban que la atmósfera estaba formada por oxígeno y nitrógeno!*

—Esos dos, que son los componentes básicos, no tienen cualidades de gas de invernadero, así que si no estuvieran acompañados por otros, viviríamos (en el supuesto de que pudiéramos hacerlo) en un planeta congelado. Afortunadamente, otros gases, así como distintas partículas y aerosoles, forman parte de la atmósfera junto al oxígeno y el nitrógeno, a veces en pequeñas proporciones, pero con importantes consecuencias. De entre todos los componentes naturales de la atmósfera, el principal gas con efecto invernadero es el vapor de agua, y después el dióxido de carbono (el célebre CO_2, el anhídrido carbónico de otros tiempos), el metano, el óxido nitroso y el ozono. De ellos, el vapor de agua preocupa menos, pues su tiempo de residencia (o vida media) en la atmósfera es muy corto, apenas una semana. El CO_2, en cambio, permanece en la atmósfera cien años o más (lo que significa que seguiremos pagando las consecuencias de las emisiones del último siglo, incluso si ahora mismo dejáramos de emitir) y el metano entre diez y quince años.

—*Por lo que veo, hemos debido cambiar la atmósfera para mal. Quiero decir que estamos transformando el efecto invernadero, que en sí era bienhechor, en un calentamiento indeseable. ¿Quién inspira nuestros actos, para que allí donde ponemos la mano estropeemos el mundo? ¿Qué torpes operaciones hemos efectuado en la atmósfera?*

—Pienso que no deberíamos afrontar las cosas con complejo de culpa. Todos los seres vivos, no sólo nuestra especie, transforman su entorno, así que en ese aspecto no somos demasiado diferentes de los demás. Lo que ocurre es que nosotros somos muy numerosos y además tenemos una enorme capacidad de actuación.

Para que te hagas una idea, desde la fecha en que leíste tu discurso de ingreso en la Academia, hace apenas treinta años, la población humana se ha incrementado en cerca de dos mil trescientos millones de almas. Eso quiere decir que en las tres últimas décadas se ha sumado al mundo bastante más gente de toda la que vivía en él en 1920, cuando tú naciste. Y en lo que a mí respecta, desde que vine al mundo mediado el siglo, el número de personas sobre la Tierra se ha multiplicado por algo menos de tres. Como resultado, hoy somos seis mil cuatrocientos millones de personas y cada año se añaden a esta cifra unos ochenta millones más (¡el censo mundial se incrementa con casi un cuarto de millón de personas cada día!). Es un crecimiento galopante, sobre todo si tenemos en cuenta que hace dos mil años, cuando nació Cristo, el número de habitantes del globo probablemente no excedía los trescientos millones, y que para doblar esa cifra hubieron de transcurrir cerca de mil setecientos años (en el siglo XX, en cambio, la población se dobló en sólo cuarenta años). Seguramente en toda la historia ninguna otra especie ha sido tan abundante como los humanos hoy, al menos en lo que atañe a nuestra biomasa, al peso corporal. Proporcionar los recursos suficientes para satisfacer las necesidades del cuarto de billón de kilos de *Homo sapiens* que hoy acumulamos es una tarea ímproba, que da lugar a una enorme presión sobre los ecosistemas del Planeta.

Pero llegar a ser tantos ha sido posible, como te decía antes, porque nuestra capacidad de actuar sobre el medio es muy alta, cada vez mayor. Esa capacidad nos ha permitido cambiar seriamente el ambiente desde la antigüedad. Hace sólo unos días, Germán, tu hijo y mi hermano, contaba en un curso a futuros arqueólogos cómo los pobladores de estos páramos burgaleses, hace cinco mil años, quemaron los bosques para poder cultivar los campos. Hoy las cenizas de aquellos árboles aparecen junto a los monumentos funerarios megalíticos que Germán está excavando. Al quemar el bosque, tanto en el pasado como en la actualidad, todo el carbono retenido por la vegetación, y en parte por el suelo, es liberado a la atmósfera en forma de CO_2 y, si no es asimilado de nuevo, incrementa el efecto invernadero. El problema se hizo grave con la revolución industrial y el consiguiente consumo masivo de combustibles fósiles. Quemar carbón, petróleo o gasolina, aunque parezca otra cosa, no es muy distinto de quemar árboles u otros seres vivos fosilizados, y en todo caso el efecto es exactamente el mismo: carbono previamente retenido (en este caso, en los combustibles) es liberado en grandes cantidades a la atmósfera en forma de dióxido de carbono. Pero además, nuestras actividades generan más metano, más óxido nitroso, y también otros productos completamente artificiales, como los famosos CFC (los clorofluorocarbonos), que no existían previamente en la naturaleza y tienen una enorme capacidad de retener calor, junto a su bien conocida habilidad para destruir el ozono.

Agujero de ozono

—*¡El ozono! Ya salió el ozono a relucir. Para mí, uno de los problemas más graves que tenemos planteados en la atmósfera y del que te hablé hace días a propósito de mi correspondencia con la señorita Grisolía, desde Adelaida. ¡Hablemos del agujero de ozono! Se me antoja que hay un punto en el que el cambio climático y el agujero de ozono se dan la mano, ¿no es así?*

—A menudo se confunden popularmente las dos cosas, aunque ya te dije que son asuntos diferentes. De todos modos, la atmósfera es tan compleja que resulta difícil encontrar un proceso del todo independiente de otro. Por ejemplo, como acabo de decirte, los CFC destruyen el ozono, pero además son poderosos gases de invernadero. La cuestión es todavía más complicada, ya que el propio ozono incrementa también el efecto invernadero, de manera que los dichosos clorofluorocarbonos, al destruirlo, ayudan a que la Tierra se caliente un poquito menos. Esta y otras muchas relaciones enrevesadas, a menudo contradictorias, hacen que algunas predicciones a largo plazo sobre el futuro del clima no sean del todo seguras.

De cualquier forma, el incremento del efecto invernadero y la reducción de la capa de ozono comparten, al menos, dos características generales que quizás ayuden a la confusión. La primera es que ambos se originan por la liberación de gases producidos por la actividad humana y la segunda es que, al afectar a la atmósfera terrestre, los dos son fenómenos de carácter global que influyen en toda la Tierra, aunque sus efectos se perciban más en unos lugares que en otros.

—*Según creo, el ozono funciona sobre la superficie terráquea como una crema solar sobre el cuerpo humano, es decir, la protege de los efectos nocivos de los rayos. Vamos, lo que ahora nos recomiendan en las farmacias como cremas protectoras, ¿no es así?*

—Efectivamente, el ozono que abunda en la parte alta de la atmósfera, en la estratosfera, actúa como un paraguas que protege a los seres vivos de la radiación ultravioleta, que entre otras cosas puede provocar cáncer y cataratas. La capa de ozono no ha existido siempre y se ha formado como resultado de la actividad de los seres vivos (fundamentalmente algunas bacterias, las algas y las plantas), que mediante la fotosíntesis rompen la molécula del agua y unen sus componentes al CO_2, reteniendo el carbono y el hidrógeno y liberando el oxígeno en la atmósfera (tres átomos de oxígeno forman una molécula de ozono). La importancia de esta capa de ozono para los seres vivos es tal que, hasta que no existió, los animales y las plantas no pudieron colonizar la tierra firme, puesto que necesitaban vivir bajo las aguas para que les sirvieran de escudo protector.

—Así cuenta M.ª Luz Grisolía lo que cuenta: ¡El albornoz, el albornoz! ¿Qué hemos hecho para que el escudo de ozono se haya hecho pedazos?

—En realidad no se ha roto, sino que se ha debilitado, como una ropa tazada, transparente a fuer de usada. El motivo principal han sido esos gases de nombre complicado, los CFC o clorofluorocarbonos, que alrededor de 1930 comenzaron a utilizarse con profusión con fines industriales. La General Motors los usó por primera vez como refrigerantes para los coches, pero pronto se aplicaron a congeladores y neveras, y poco después como disolventes industriales y propulsores para los atomizadores (los tan utilizados *sprays*) de matamoscas, lacas del pelo, desodorantes... El problema de los CFC, que en aquella época se consideraban prácticamente inertes, incapaces de reaccionar con nada, es que no lo son tanto, y en la parte alta de la atmósfera interactúan con el ozono y lo descomponen.

Hace cuarenta años no se tenía constancia de que los CFC tuvieran ningún efecto nocivo sobre el ambiente. Como ocurre con todo producto nuevo, sin embargo, existía cierta inquietud, al menos intelectual, sobre su destino final. ¿Dónde iban a parar? ¿Se degradaban de algún modo? ¿O se acumulaban en la tierra, el agua o el aire? El famoso científico James Lovelock, impulsor de la revolucionaria hipótesis de *Gaia*, descubrió en 1970 que los CFC se concentraban en la atmósfera, pero no le dio mayor importancia. Pocos años después un estudiante mexicano, Mario Molina, y su profesor estadounidense, Sherwood Rowland, investigaban en esa dirección, sin pensar, según han contado muchas veces, que el asunto fuera demasiado apasionante. Fueron ellos quienes se dieron cuenta, con sorpresa, de que los CFC se activaban con la luz del Sol en la parte alta de la atmósfera, de modo que el cloro destruía al ozono al reaccionar químicamente con él para formar monóxido de cloro. Como el monóxido de cloro es inestable y se deshace para volver a liberar cloro, el ciclo se repite muchas veces, hasta el punto de que una sola molécula de CFC puede llegar a destruir más de cien mil moléculas de ozono.

Mario Molina y su colega publicaron en 1974 un artículo científico describiendo sus hallazgos, pero como el tema les parecía muy grave, no se limitaron a transmitirlo al mundillo de la ciencia, sino que trataron de llamar la atención del conjunto de la sociedad a través de los medios informativos. En definitiva, dieron la voz de alarma ante el mundo: «Si los países industrializados continúan liberando en la atmósfera un millón de toneladas de CFC al año, la capa de ozono puede estar en peligro».

—*Yo pensaba que el agujero de ozono se había descubierto trabajando a pie de obra, en la Antártida. De hecho, recuerdo que mi amigo y compañero el novelista Raúl Guerra Garrido, ganador del Premio Nadal, ambientó su libro* El síndrome de Scott *en una base científica de aquel continente, con protago-*

nistas investigadores que intuían que el ozono estaba desapareciendo.

—No te falta razón y Guerra Garrido, que usó muchos datos reales, hizo bien situando esas investigaciones en la Antártida, pues aunque Molina y Rowland avisaron de lo que podía pasar, no demostraron que ya estuviera pasando. Los acontecimientos que siguieron sirven para ilustrar, entre otras cosas, no sólo las reticencias de la sociedad ante las advertencias de los investigadores, sino también algunos modos de proceder en esta profesión, que es la mía.

La primera reacción al anuncio fue de escepticismo. Aquí y allá se había medido el espesor de la capa de ozono y no se habían detectado cambios significativos (porque he dicho antes que la capa de ozono era como un paraguas, pero la imagen no es del todo adecuada. Sería, más bien, como una gruesa envoltura alrededor de la Tierra, en cierto modo similar a la capa de nata sobre un pastel, que puede ser más o menos gruesa. Cuando hablamos de un «agujero» en la capa de ozono lo hacemos incorrectamente, pues en realidad no existe tal agujero, sino una extensa zona en el Polo Sur donde la cubierta de ozono estratosférico se ha vuelto particularmente delgada). Políticos, hombres de negocios y también muchos científicos pensaban que el proceso descrito por Molina y Rowland tal vez fuera cierto, pero que en todo caso debía de ser muy lento. Por añadidura, existía un satélite meteorológico, el *Nimbus 7*, que medía la cantidad de ozono en la estratosfera, pero

no había detectado nada. «Si las cosas empeoran
—parecían pensar—, ya nos enteraremos y entonces adoptaremos las medidas necesarias, a buen seguro difíciles y caras.»

Pero en 1982, unos equipos de investigación
japoneses e ingleses que tomaban medidas desde
tierra, en la costa de la Antártida, detectaron con
sorpresa que la capa de ozono parecía ser asombro-
samente delgada sobre ellos. Sus hallazgos eran tan
llamativos, por imprevistos y fuera de lugar, que los
investigadores imaginaron que sus aparatos estaban
estropeados, o que ellos mismos se habían equivocado en algo. Los japoneses anunciaron tímida-
mente sus hallazgos en 1984, y sólo en 1985, cuando los datos reunidos de tres años confirmaban un
adelgazamiento extremo de la capa de ozono en la
primavera antártica, los ingleses se decidieron a dar
a conocer los suyos.

*—Pero ¿no nos mantenía un satélite informados
de la situación? ¿Cómo pudo no darse cuenta? ¿Acaso
fallan tanto esos trastos? ¡Aviados estamos si tenemos
que depender de tamaños sistemas de vigilancia!*

—Exactamente lo mismo que tú se pregunta-
ron, inquietos, los investigadores, antes de volver a
analizar los datos del satélite *Nimbus 7*. Entonces
se dieron cuenta de que la culpa no era del satélite,
sino de algún «sabio» de la NASA que había pro-
gramado el ordenador de a bordo para que elimi-
nara todos los «datos absurdos», que debían atri-

buirse a fallos de medida. ¡Durante años, en consecuencia, se había despreciado una información fundamental, pues las medidas recogidas sobre el espesor del ozono eran demasiado pequeñas para admitirlas como válidas! En suma, los científicos actuaron como un padre que cierra los ojos ante la evidencia de que su hijo está en la droga, porque considera imposible que algo tan grave pueda ocurrirle a él y lo descarta por absurdo.

—*Si no he entendido mal, la escasez de ozono se registra alrededor del Polo Sur. Eso explica que los problemas se hayan notado sobre todo en Nueva Zelanda, Australia y la Patagonia chilena y argentina. También justifica los temores y las precauciones ante el sol de que me hablaba M.ª Luz. ¿Hay alguna evidencia de que, como consecuencia de la debilidad de la capa de ozono, se hayan producido daños a la salud humana en estas zonas?*

—Aparte de lo dicho, la disminución del espesor de la capa de ozono es bastante general, con la excepción de los trópicos. Se da también entre nosotros, por tanto, y todavía más sobre el Polo Norte. Sin embargo, el llamado «agujero», donde la capa es especialmente tenue, se produce efectivamente sobre el Polo Sur, desde el comienzo de la primavera hasta el final del verano australes, con un máximo en septiembre.

Como cabía esperar, algunos datos confirman que los mayores perjuicios a la salud han debido darse en esa zona. En 1999, por ejemplo, con la capa de ozono menguada sobre una de las ciudades más meridionales del mundo, Punta Arenas, en Chile, se multiplicaron las visitas a los médicos por quemaduras en la piel. También allí parecen haber aumentado los cánceres cutáneos, desde 1994, más que en otros lugares de la Tierra y, sobre todo, más que en el mismo sitio en épocas anteriores. Probablemente algo parecido haya ocurrido en otras ciudades meridionales del mundo.

De todos modos, hay que hacer notar que, pese al agujero de ozono, la cantidad de radiación ultravioleta que alcanza Nueva Zelanda o la Patagonia no es muy diferente de la que recibimos en España en verano. Ocurre, sin embargo, que por falta de costumbre sus cuerpos no están preparados para soportar tales niveles de insolación. Por otra parte, también en nuestras latitudes la frecuencia del cáncer de piel va en aumento. En este caso, sin embargo, a pesar de que la capa de ozono pueda ser hoy un poco más tenue que en el pasado, los doctores atribuyen un papel más importante a la costumbre de disfrutar del sol con poca ropa y sin medidas protectoras.

—*¿Y qué me dices de la ceguera de los carneros, denunciada por los pastores de la Patagonia chilena a comienzos de los noventa?*

—En esa época se dieron, en efecto, casos de ceguera entre las ovejas del Cono Sur, y en 1992 el

New York Times publicó que estaban relacionados con el agotamiento del ozono estratosférico. No tengo que decirte lo influyentes que son los periódicos importantes y más si se publican en Nueva York. Al poco tiempo dieron esa misma noticia en cabecera los noticiarios de la televisión de todo el mundo, y Al Gore, el político que estuvo a punto de ser presidente de los Estados Unidos, se refirió en su libro ecologista *La Tierra en juego* a cazadores patagónicos que cobraban conejos con los ojos glaucos y a pescadores que enganchaban salmones invidentes. Los expertos, sin embargo, eran más bien escépticos ante esa relación de causa a efecto, pues los daños de los rayos ultravioleta suelen ocurrir a largo plazo y los descritos parecían demasiado próximos. Unos estudiosos de la Universidad Johns Hopkins (que está en Maryland, donde tú diste clases) desplazados a Chile comprobaron que la ceguera de las ovejas de la Patagonia era debida a una conjuntivitis infecciosa. El ozono, por tanto, en apariencia poco tiene que ver en el asunto, aunque, desde entonces, la historia se repita asiduamente. No obstante, también es cierto que la radiación ultravioleta daña al sistema inmunitario, de manera que la escasez de ozono podría hacer a las ovejas más sensibles a las infecciones.

—*Esto me hace pensar que tal vez sea debido a ese fiasco el hecho de que no se denuncie con más frecuencia la tenuidad de la capa de ozono, cuando me parece un problema gravísimo. ¿Qué se ha hecho para solucionarlo, aparte de bajar cubiertos a las playas australes y evitar el sol a toda costa?*

—Afortunadamente, si se habla poco del asunto es porque parece en vías de solución correcta. Protocolo de Montreal Conocedores de la extrema gravedad de quedar a merced de la radiación ultravioleta, los países punteros del mundo reaccionaron, en esta ocasión, con sentido común, dinamismo y efectividad. Tan temprano como en 1987, cuarenta y tres naciones firmaron el Protocolo de Montreal, estableciendo plazos para prohibir la fabricación y posteriormente la utilización de CFC. En un principio, el objetivo era que los niveles de uso de estos productos se rebajaran en 1999 a la mitad de los de 1986, pero la disminución del ozono estratosférico crecía a un ritmo tan alarmante, y los riesgos para la salud eran tan altos, que se estimó imprescindible acelerar los plazos: con unas pocas excepciones, la producción y el uso de CFC fueron prohibidos en los países desarrollados a partir de 1995, y deberán desaparecer en los demás antes de 2010. Ello ha permitido que los niveles de estos gases en la atmósfera, por ahora, se hayan estabilizado, y poco a poco deberían reducirse. El agujero de la capa de ozono alcanzó su tamaño récord en el año 2000 y se confía en que nunca supere esas dimensiones. De hecho, su crecimiento fue muy rápido en los ochenta, menor en los noventa y parece haberse detenido en la actualidad. Como los CFC son muy estables y tardan lustros en desaparecer, no obstante, las previsiones optimistas apuntan a que puede estar «cerrado» en el año 2050, no antes. El Protocolo de Montreal, firmado en la actualidad por más de ciento ochenta países, puede considerarse un éxito rotundo, a pesar de algunas denuncias sobre fabricación y comercio ilegales de CFC, y de que países en rápido desarrollo, como China, hayan incrementado su producción de otros gases nocivos para la capa de ozono, como los llamados halones (con el compromiso de renunciar a ellos a partir de 2009).

—*Ojalá tengáis razón, pero me temo que vuestros pronósticos sean demasiado optimistas. Lo que me sorprende es que este rápido remedio haya sido posible por casualidad, gracias a los estudios de unos señores que estaban buscando otra cosa. ¿Es que los científicos trabajáis por tanteo?*

—En general, los científicos intentamos saber más acerca de cualquier cosa, con la certeza de que todo conocimiento ayuda a la humanidad a ser y a vivir mejor. Por eso me interesa mucho lo que apuntas. Mario Molina y su colega Rowland recibieron en 1995 el Premio Nobel de Química por su descubrimiento del efecto de los CFC sobre la capa de ozono. Toda una lección. Habitualmente los científicos ponemos mucho énfasis en la defensa de la investigación básica, esa que, a primera vista, no parece servir para nada. Éste es un ejemplo de hasta qué punto puede tener utilidad. Rowland y Molina sólo querían saber qué ocurría con los CFC, adónde iban a parar, y se encontraron de improviso con el diagnóstico (y, de camino, con la receta para la solución) de un gravísimo problema para la humanidad. En 1997 un equipo canadiense presentó oficialmente a la ONU un informe según el cual la reducción del uso de CFC habría evitado más de veinte millones de casos de cáncer de piel y ciento veintinueve millones de casos de cataratas. ¡Y todo gracias a una investigación que, en principio, no servía para nada! Claro que eso no quita para que, además, se haga en el mundo mucha, y muy buena, investigación orientada a objetivos concretos.

—*El cumplimiento de las medidas acordadas en el Protocolo de Montreal, por costoso y difícil para empresas y gobiernos, se me antoja muy meritorio. En este caso hay que quitarse el sombrero ante la eficacia de la respuesta de la comunidad internacional.*

—Estoy de acuerdo contigo, este asunto invita al optimismo. De todos modos, el abandono de los CFC y otros gases relacionados, y con efectos parecidos, no ha sido tan traumático como se pensaba al principio. De hecho, un comité de expertos del Programa para el Medio Ambiente de las Naciones Unidas afirmó, hace ya diez años, que «la sustitución de los productos que destruyen el ozono ha sido más rápida, más barata y más novedosa de lo que imaginábamos», haciendo notar que sólo el aire acondicionado de los coches había subido de precio de manera apreciable como consecuencia de ella.

Algunos opinan, incluso, que la prohibición de los CFC nos ha permitido ahorrar dinero, por los daños que ha evitado en cosechas, ecosistemas salvajes, materiales de construcción sensibles a la radiación ultravioleta, etc.

Aun así, los sustitutos son otros productos químicos de nombres igualmente complicados, algunos de los cuales afectan también a la capa de ozono, aunque en menor medida, e incrementan el efecto invernadero. Todos estarán igualmente prohibidos antes de 2040 en todo el mundo. En definitiva, en este caso parece haberse dado con el remedio, pero hay que reconocer que no era tan difícil como se pensaba al principio, y desde luego menos que resolver otros problemas que nos afectan.

—Eso, eso. ¡Con estas noticias esperanzadoras casi nos habíamos olvidado del calentamiento terráqueo! Enseguida volvemos a él, pero antes aclárame una cosa. He leído en los periódicos que la concentración de ozono es muy alta en Atenas, donde se han celebrado los juegos olímpicos, y amenaza a los pulmones de los ciclistas y de los corredores de fondo. ¿No habíamos dicho que el ozono era nuestro halo protector? ¿En qué quedamos?

Ozono
troposférico

—El ozono tiene dos caras, como suele ocurrir en la naturaleza: nada es totalmente bueno ni exclusivamente malo. Para la vida, lo negativo es quedarse corto o pasarse. En algunos casos, como el del ozono, que sea beneficioso o perjudicial depende de donde se encuentre. El mismo ozono que nos protege cuando está situado en la estratosfera, la parte alta de la atmósfera, nos daña cuando está en la troposfera, que es la parte baja, la que está en contacto con la superficie terrestre. El ozono «malo» se forma principalmente en las ciudades, al reaccionar químicamente los contaminantes de los coches y de las industrias en presencia de la luz del sol, por lo que es un fenómeno propio de los días de anticiclón con ausencia de viento. Pero cada vez es más evidente que también se forma en el campo, como consecuencia de la interacción, en presencia de la luz, de compuestos orgánicos volátiles liberados por la vegetación y los óxidos de nitrógeno del aire.

Junto a otros productos, el ozono forma esa especie de calima sucia, gris, más o menos amarillenta, que se observa en ocasiones sobre nuestras ciudades y que suele llamarse *smog*, palabra inglesa de nuevo cuño que se formó juntando humo (*smoke*) y niebla (*fog*). El *smog* se hizo tristemente famoso porque mataba a miles de personas en Londres hace unos lustros, y es que sólo el ozono ya provoca cansancio y anemia, e irrita los ojos, la garganta y los pulmones, agravando el asma, los enfisemas y otros problemas del aparato respiratorio. Cuando los niveles de ozono son muy elevados se recomienda, especialmente a los alérgicos, no salir a la calle, y a todo el mundo evitar el deporte al aire libre, lo que nos irrita a los aficionados a correr y a la bicicleta.

De todas maneras, esta contaminación urbana tiende a controlarse cada vez más, al menos entre nosotros, y periodos duraderos con altos niveles de ozono suelen ser, por su carácter excepcional, noticia en los periódicos. En sentido contrario, en la cuenca mediterránea, cerca del mar, el ozono y otros contaminantes originados en las ciudades y los grandes complejos industriales son transportados por la brisa a las zonas rurales y durante varios meses cada año dañan a las plantas, llegando a afectar al rendimiento de los cultivos. Algo parecido ocurre en la sierra de Madrid: el ozono producido en la capital se acumula al pie de la sierra, donde todos los años se registran en verano algunos días con niveles de ozono por encima de lo recomendable. Vamos, que uno se larga a Guadarrama con la esperanza de respirar aire puro y puede ocurrirle justo lo opuesto.

Cambio climático —*¡Pues sí que estamos buenos! Volvamos, sin embargo, al asunto del cambio climático, donde sospecho que hemos dejado muchos cabos por atar. En su momento comentabas que a diferencia de los CFC, con tendencia a disminuir, el dióxido de carbono no cesa de aumentar desde la revolución industrial. ¿Tan importante ha sido el incremento de CO_2 en la atmósfera como para hacer cambiar el clima de toda la Tierra?*

—Anota. En la actualidad, veinticinco mil millones de toneladas de dióxido de carbono son emitidas cada año a la atmósfera como resultado de la quema de combustibles fósiles (carbón, petróleo, etc.), la actividad de ciertas industrias, la deforestación y los cambios de uso del suelo. Una parte importante de ese CO_2, la mitad o más, se reabsorbe en la naturaleza, pero aproximadamente el cuarenta y cinco por ciento incrementa el efecto invernadero. Antes de la revolución industrial la concentración de CO_2 en la atmósfera era de 280 partes por millón (ppm), en los años cincuenta del pasado siglo de aproximadamente 315 ppm, y en la actualidad de unas 370 ppm o más. Según evolucionen las cosas, para el año 2100 se esperan entre 540 y 970 ppm. Nunca ha habido tanto CO_2 en la atmósfera desde hace al menos cuatrocientos mil años. Y seguramente nunca, en esos cuatro mil siglos, ha hecho tanto calor como el que me temo que hará dentro de pocos lustros.

—*No es que yo dude de los científicos, pero a veces vuestras rotundas afirmaciones parecen más propias de magos que de gente de estudios. ¿Cómo conocéis con tanta seguridad el dióxido de carbono que había en la atmósfera en un ayer tan remoto?*

—Los investigadores analizan la composición de las pequeñas burbujas de aire encerradas en los hielos perpetuos de los casquetes polares y de algunos glaciares. La escasa nieve que cae anualmente en la Antártida, por ejemplo, se deposita helada formando capas parecidas a los anillos de crecimiento de un árbol, que por tanto pueden fecharse. Cuanto más profundo está ese hielo, más tiempo hace que cayó la nieve que lo ha originado. En las cercanías de la base antártica rusa de Vostok, un equipo formado por franceses, rusos y americanos ha conseguido extraer testigos de hielo hasta una profundidad de más de tres mil metros, formados hace aproximadamente cuatrocientos mil años. Los análisis de las burbujas y del polvo contenidos en el hielo hasta esa profundidad permiten estimar la cantidad de gases de efecto invernadero que ha habido en la atmósfera desde entonces. Además, aunque no viene al caso detallarlo, las proporciones de diversos isótopos en esas mismas burbujas proporcionan información sobre las temperaturas a lo largo del periodo en cuestión. Pues bien, los datos de Vostok indican que en varias ocasiones en el pasado la concentración de CO_2 en la atmósfera se ha acercado a las 300 ppm, pero con más frecuencia ha estado cerca de las 250 ppm. Las temperaturas, por su parte, han oscilado en un rango de unos diez o doce grados, coincidiendo las épocas más frías con aquellas en las que había menos dióxido de carbono en la atmósfera, y al revés las más cálidas (aunque ello no demuestre una relación de causa a efecto).

—*Esas variaciones tan notables parecen apoyar la idea, defendida por algunos, de que el actual cambio climático es un fenómeno natural, de que esas cosas pasan porque tienen que pasar, porque el mundo es así. Además, como tú mismo me has dicho hace unos días, ya sabemos que han ocurrido otras veces con anterioridad. ¿Podrían tener razón los escépticos al defender que lo del cambio climático es una falsa alarma, o al menos que la afirmación de que los hu-*

*manos lo provocamos no es más que un mito? Quiero
decir que las cosas tal vez vayan por donde tienen que
ir y los motivos de preocupación sean infundados.*

—Rotundamente no. Los científicos tienden a
ser muy prudentes, a veces en exceso, como con frecuencia se encargan de denunciar los grupos ecologistas y como recordarás que ocurrió con las medidas del ozono en la Antártida. Habitualmente los
expertos evitan afirmar nada con rotundidad hasta
no estar seguros de que tienen argumentos sólidos
para defenderlo. En el caso del clima, ello les lleva a
reconocer a menudo las muchas incertidumbres in-
herentes a sus predicciones. Los escépticos (que,
por cierto, nunca publican sus artículos en revistas
de investigación reconocidas), incluido el propio
presidente Bush, se aprovechan de ello y comentan:
«No está demostrado que el clima cambie a causa
de las actividades humanas; hasta los propios expertos admiten que tienen dudas». Y es cierto, las dudas son muchas, pero la fundamental no lo es: sólo
los cambios atmosféricos debidos a la actividad humana pueden explicar los aumentos de temperatura
en la Tierra detectados en los últimos decenios.

*—Pero, si no me equivoco, esa certeza es recien-
te, no ha existido desde el principio.*

—En efecto, el consenso prácticamente unáni-
me entre los científicos es bastante reciente. Ya en
la segunda mitad del siglo xix se sospechaba que

pequeños cambios en las concentraciones de vapor de agua y dióxido de carbono podían tener importantes consecuencias sobre el clima. A lo largo del siglo XX, a medida que fueron acumulándose registros meteorológicos, se comenzaron a percibir síntomas de un calentamiento más o menos generalizado, que muchos estudiosos relacionaron con el uso masivo de combustibles fósiles. Movidos por esta preocupación, la Organización Meteorológica Mundial y el Programa de las Naciones Unidas para el Medio Ambiente crearon en 1988 el Grupo Intergubernamental de Expertos sobre el Cambio Climático (más conocido por sus siglas en inglés, IPCC). En él se reúnen miles de los mejores especialistas mundiales y su misión es evaluar la información científica disponible y asesorar a los gobiernos sobre la mejor manera de mitigar los efectos del cambio climático o adaptarse a ellos. El IPCC ha publicado tres voluminosos «informes de síntesis» en 1990, 1995 y 2001. La evolución de su manera de informar sobre las causas del problema ha sido muy significativa y refleja perfectamente la prudencia de los científicos, a la que antes me refería. En el primer informe el IPCC decía que con los datos manejados «no es posible afirmar» que el incremento de la temperatura media del planeta, ya innegable entonces, fuera consecuencia de las actividades humanas. En aquel momento sólo grupos como WWF o Greenpeace anunciaban lo que se nos venía encima, soportando a causa de ello frecuentes burlas y denuncias de falta de rigor. En el segundo informe, sin embargo, el IPCC aseguraba que el conjunto de evidencias disponibles «sugiere un cierto grado de influencia humana sobre el clima global». El tercer, y hasta la fecha último informe, ya se refiere a «interferencias antropógenas peligrosas en el sistema climático», confirmando que la probabilidad de que sea casual la coincidencia entre los efectos esperados por los expertos y los detectados «es ínfima». Podemos afirmar, por tanto, como escribió un periodista científico, que desde el 2001 la relación directa entre el cambio climático y las actividades humanas «ya es oficial».

—*De todos modos, dado que la realidad del calentamiento global es evidente, imagino que resulta más tranquilizador saber que se debe a nuestras acciones que no pensar que ocurre sin que tengamos ni idea de por qué, ¿no te parece?*

—Estás en la línea del meteorólogo Luis Balairón, que defendió ese punto de vista en un curso de verano en el que coincidimos en El Escorial. Si pretendemos no hacer nada, es preferible no sentirnos culpables, así que disfrutaremos alimentando las dudas y postulando que esto es lo que hay y por tanto no queda más remedio que asumirlo. Pero si aspiramos a arreglarlo, es mucho más reconfortante saber que conocemos las causas y podemos tomar las medidas oportunas para minimizar los daños, aunque al tiempo resulte penoso tener que aceptar nuestra responsabilidad.

—*Pero pasemos a los daños, porque evidentemente esa «interferencia antropógena peligrosa» que has mencionado no debe quedarse en el adelanto de la fecha de floración de los cerezos, que más que daño parece una lucubración poética.*

—No, no, claro. Ya dijimos entonces que los efectos del cambio climático son numerosos e importantes en muchos ámbitos, aunque luego nos centráramos en la fenología de árboles y pájaros. La aparición más temprana de hojas y flores o los cambios en la distribución de muchas especies, que en nuestro hemisferio se están desplazando hacia el norte (como el elanio azul, un ave de presa africana que se ha vuelto común en España, o algunas mariposas mediterráneas que colonizan Centroeuropa; en paralelo, especies norteñas como el urogallo se hacen raras en latitudes meridionales), son sólo los síntomas de que algo serio está ocurriendo.

Con distintos márgenes de confianza, los investigadores relacionan con el cambio climático de origen humano distintos fenómenos ya constatados o probables. No obstante, el clima es tan complicado, depende de tantas cosas, que es muy difícil hacer predicciones respecto al futuro más o menos próximo. Ya dijimos que los estudiosos se apoyan en sofisticados modelos de ordenador que tratan de reproducir las condiciones previsibles de la atmósfera y, a partir de ellas, la climatología de la Tierra, pero tropiezan con graves dificultades. Parte de ellas resultan de que no saben bien cómo funcionan algunos elementos tan comunes como las nubes, por ejemplo, ya que por un lado aumentan el calentamiento y por otro lo disminuyen (en un informe divulgativo de la NASA se llama a las nubes «verdadera molestia para los investigadores del clima»). Pero también influye el hecho de que todo está relacionado con todo de una manera muy compleja, no lineal, de forma que pequeños cambios imprevistos en un lugar pueden alterar las previsiones que se han hecho en otros. Eso se ha definido como el «efecto mariposa» propio de los sistemas caóticos, caricaturizado afirmando que «el batir de alas de una mariposa en Tokio puede originar una tormenta que no iba a ocurrir en Amsterdam o, por el contrario, evitar que se forme otra que podría haber ocurrido». Para terminar de complicar las cosas, la evolución del clima global y, en consecuencia, lo que pueda pasar, dependerá mucho de nuestro comportamiento actual y futuro. Dicho de otra manera: cabe imaginar distintas situaciones, todas ellas posibles, con efectos muy diferentes en cantidad y calidad.

—*¡Pero apúntame alguna! Hay que ir directamente al grano. Hombres y mujeres, excepto los muy pusilánimes, deseamos conocer los problemas para exigir a los partidos y a los medios que presionen a los políticos, que les trasladen nuestras inquietudes, nuestros temores, para poner remedio a la situación.*

Consecuencias del calentamiento

—Es posible adelantar por dónde irán los tiros. Respecto a 1990, que se toma como referencia, los expertos estimaron en 2001 que la temperatura media mundial ascenderá entre 1,4 y 5,8 °C antes de finalizar el siglo XXI. Casi todas las predicciones más recientes, sin embargo, han tendido a oscurecer el panorama, de manera que afirmaciones del tipo «los expertos dicen que el calentamiento será mayor del previsto, por tal o cual razón» no cesan de aparecer en la literatura científica y en los periódicos. Muy recientemente la Agencia Europea de Medio Ambiente ha presentado un informe según el qual el aumento de la temperatura en nuestro continente, de aquí al 2100, oscilará entre 2 y 6,3 °C (en España se esperan subidas de 4 °C para el 2080). Igual que en el caso general, la diferencia entre las dos cifras radica tanto en las incertidumbres sobre el comportamiento de algunos componentes del sistema (por ejemplo, los océanos) como en la mesura que muestre la humanidad en el uso de gases de efecto invernadero. Hablando claramente, como los gases de invernadero son muy persistentes, por bien que lo hagamos la temperatura seguirá aumentando, y si lo hacemos mal subirá de manera desmedida. En todo caso, será el cambio más rápido registrado en el clima en los últimos diez mil años, tras la última glaciación.

—*Tienes una gran habilidad para escabullirte. Perdona que insista, y no te vayas por las ramas. ¿Con qué consecuencias?*

—Los expertos ya han constatado que el aumento mundial de la temperatura está produciendo una subida del nivel del mar (que en promedio ha crecido entre diez y veinte centímetros desde 1900), la fusión de los glaciares en las montañas (las famosas nieves del Kilimanjaro, del Premio Nobel Ernest Hemingway, desaparecerán en quince o veinte años), la reducción del espesor de las masas de hielo en los polos (el Polo Norte podría ser fácilmente navegable en verano antes de cincuenta años), el incremento de lo que se han llamado «eventos climáticos extremos» (como olas de calor, grandes sequías o tremendas inundaciones), la decoloración y muerte de los corales, especialmente en los años cálidos (al elevarse la temperatura del agua desaparecen las algas que, en simbiosis con los pólipos coralinos, les proporcionan color y energía), el deshielo, en Alaska y Siberia, del *permafrost*, el suelo permanentemente congelado (que al ablandarse, como si fuera un helado derretido, hace que los edificios se resquebrajen y se caigan); y otros cambios de parecido tenor.

De todos modos, para empezar podríamos fijarnos en dos fenómenos muy relacionados entre sí y que el calentamiento global exacerba, aunque no sean consecuencia exclusiva del mismo. Se trata de la desertización y la escasez de agua dulce. Ambas amenazas, juntas o por separado, pero más pronto que tarde, pueden poner al conjunto de la humanidad en serios apuros (muchas poblaciones humanas los están sufriendo ya).

—Yo tenía entendido que la erosión y la falta de agua eran cuestiones más bien locales, propias de

zonas secas, y producidas, en cierto modo, por causas naturales. Vamos, que mientras en unos lugares escasean el agua y el suelo profundo, en otros sobran, pero porque Dios lo ha querido así. ¿Crees que estoy equivocado?

Desertificación

—Mi compañero Juan Puigdefábregas dice que, hasta hace poco, hablar de la desertización era exponer un catálogo de desastres (sequía, pérdida de suelo fértil, ausencia de vegetación, etc.), mientras que ahora se pone más atención en las causas que la producen, generalmente resultado de un desequilibrio entre las actividades humanas y los recursos naturales. Por eso está muy de moda distinguir entre la desertización, que es el proceso más o menos natural al que tú te referías, y la desertificación, que, aunque con efectos relativamente similares, es el resultado de nuestras acciones. A mí no acaba de gustarme la palabra desertificación, que me huele a traducción directa del inglés, pero se ha hecho oficial y es casi obligado emplearla (aunque no sé lo que pensaréis al respecto los académicos). De todos modos, en un planeta como el nuestro, que en la práctica resulta cada vez más pequeño, y con el hombre como especie dominante, es casi imposible distinguir lo natural de lo que no lo es. Una sucesión de años secos que hacen avanzar el desierto en Malí o Senegal, ¿puede considerarse natural o es en parte debida al calentamiento de la Tierra producido por el hombre? En cualquier caso, los documentos oficiales entienden por desertificación «la degradación de las tierras de zonas secas resultante de factores tales como las variaciones climáticas y las actividades humanas».

Por lo demás, tienes razón en que durante mucho tiempo estos problemas han podido parecer locales, limitados, pero cuando afectan, como ahora, a muchos sitios a la vez, y toda la humanidad somos víctimas potenciales de sus consecuencias, no queda más remedio que entenderlos como una calamidad mundial. De hecho, la desertización, o desertificación, ostenta el dudoso honor de haber sido el primer tema ambiental al que la comunidad internacional dio rango de problema general. Ocurrió tras la sequía catastrófica de los años setenta del siglo pasado, que mató de hambre a cientos de miles de personas en el Sahel, al sur del Sahara. A raíz de la sequía, en 1977 se celebró en Nairobi (Kenia) la primera Conferencia Internacional de las Naciones Unidas para el Combate contra la Desertificación. No obstante, poco se hizo por el asunto antes de la Cumbre de Río, donde resurgió la idea de que las Naciones Unidas promovieran un acuerdo global para luchar contra el problema. Dicho convenio entró en vigor a finales de 1996, tras ser ratificado por medio centenar de países, incluido el nuestro. Hoy se ha doblado con creces el número. En el convenio se relaciona la desertificación no sólo con la degradación de los suelos, sino también con la de los recursos hídricos, la vegetación y la calidad de vida de las personas.

—*Estás de acuerdo, entonces, en que se trata de un problema localizado en las zonas secas. No llego a ver de qué manera la erosión en el borde del Sahara, a la que te refieres, podría afectar a los alemanes, por ejemplo, que no carecen de agua ni de buenos suelos. ¡Y digo a los alemanes por no hablar de los asturianos o los gallegos, que son menos!*

—Cuesta darse cuenta de lo pequeño que se nos va quedando el planeta en que vivimos. ¡Si te dijera que el polvo del Sahara, arrastrado en gigantescas nubes por los vientos, se detecta hoy tanto en el Caribe, donde daña a los arrecifes de coral, como en la cuenca del Amazonas, donde aumenta la productividad de la selva! ¡Y, por supuesto, también llega a toda España y a Centroeuropa! A veces, en Sevilla, se arman grandes colas en las máquinas de lavar coches, pues ha caído del cielo tanto barro que los limpiaparabrisas apenas bastan para despejar los cristales y poder conducir. Y la cosa parece ir a más: Anna Avila y Josep Peñuelas han demostrado que, al menos en Cataluña, la frecuencia de las lluvias de lodo africano se ha doblado entre los años cincuenta y los años noventa del pasado siglo.

En la práctica, la desertificación suele medirse como la pérdida de suelo fértil, y el hecho de ser habitantes de un planeta que pierde la capacidad de producir alimentos repercute en todos nosotros. Según el Secretario General de la ONU, Kofi Annan, la aridez y la desertificación afectan a más de la tercera parte de las tierras del globo y amenazan al menos a mil millones de personas en más de ciento diez países. Y eso sin considerar la pérdida de productividad en tierras húmedas, como la cuenca amazónica. Allí, tras el descuajo del bosque, el suelo que queda es tan pobre que después de obtener unas magras cosechas hay que abandonarlo y deforestar otra parcela para volver a empezar. Así que mucho me temo que en breve habrá que preocuparse también por la degradación de tierras húmedas, con lluvias abundantes. De todos modos, es cierto que la desertificación afecta especialmente a África y a Asia, pero en esos dos continentes viven casi dos terceras partes de la población del Planeta.

En estos momentos, en la escena política mundial preocupa especialmente la situación de China, con un creciente poderío económico y más de mil trescientos millones de habitantes. Acabamos de hablar de las tormentas de polvo y de las lluvias de barro que se originan donde el suelo desprovisto de vegetación no puede oponer resistencia a los embates del viento. Como es lógico, esas tormentas son características de lugares que han sufrido una intensa erosión (en el sureste de Irán hubo que abandonar ciento veinticuatro aldeas en el año 2002 porque las casas y los campos habían quedado sepultados bajo la arena). Pues bien, las nubes de polvo en el norte y el oeste de China alcanzan unas proporciones hasta hoy desconocidas y afectan seriamente a los países vecinos. El 12 de abril de 2002, por ejemplo, Corea del Sur fue barrida de forma especialmente violenta por una tormenta de arena procedente de

China; en Seúl hubo que cerrar los aeropuertos y suspender las clases en los colegios, y los hospitales fueron saturados por pacientes que no podían respirar o tenían problemas importantes en los ojos. Esos vendavales de polvo, aunque menos intensos, se repiten regularmente desde hace años al comienzo de la primavera, hasta el punto de que los coreanos y los japoneses los soportan estoicamente, como si fueran una veleidad meteorológica periódica. Con relativa frecuencia, incluso, los vientos cargados de partículas de suelo han atravesado el Pacífico y se han hecho notar en la costa oeste de Estados Unidos.

Naturalmente, las condiciones son peores en la propia China. Los habitantes de Pekín (adonde las dunas del desierto del Gobi se acercan año tras año) ya se han acostumbrado a luchar contra las nubes de arena, pero los agricultores y los ganaderos no pueden hacerles frente y deben abandonar sus tierras. La situación podría obligar a emigrar a decenas de millones de chinos, algo impensado y sin precedentes. Un informe del Banco Asiático para el Desarrollo calcula que sólo en la provincia de Gansu cuatro mil pueblos corren peligro de ser sepultados por el polvo.

—Casos extremos de erosión como los que describes deben ser conocidos desde la antigüedad, pues recuerdo una terrible maldición bíblica, me parece que del Deuteronomio, el Quinto libro de Moisés, que decía: «Yahvé dará como lluvia a tu tierra polvo y arena, que caerán del cielo sobre ti hasta tu destruc-

ción». Sin embargo, a juzgar por lo que cuentas y lo que se lee en los periódicos, esta calamidad en China parece un hecho bastante reciente, al menos en las proporciones actuales.

—Efectivamente. En el pueblecito de Dongsheng, en la actual Mongolia Interior, reposan los restos de Gengis Khan, el caudillo que hace ocho siglos guió a los jinetes mongoles a la conquista de un enorme imperio, que llegó a extenderse de Europa oriental al actual Vietnam. Las estepas del Gran Khan eran un mar de hierba verde que, en verano, alcanzaba la barriga de los caballos. Hoy aquellos herbazales se han convertido en poco más que un desierto pardo salpicado de escuálidos matorrales. En el siglo XXI el mausoleo de Gengis Khan es azotado a menudo por tormentas de arena.

La desertificación suele originarse cuando se fuerza a la tierra a dar de sí más de lo que puede. El caso chino (agravado, además, por unas décadas de sequía relacionada seguramente con el cambio climático) no es una excepción. A partir de las reformas económicas de 1978, comenzaron a cultivarse en el norte y el oeste de China antiguos terrenos baldíos, y en los terrenos del común dedicados al pastoreo aumentó enormemente el número de cabezas de ganado (hasta diez veces, entre 1977 y 2001). Los cultivos no dieron buen resultado y en la actualidad se sustituyen por plantaciones de árboles. Pero más de cien millones de vacas y casi trescientos millones de cabras y ovejas están hoy, literalmente, comiéndose el noroeste del país (en Estados Unidos hay unos millones de vacas menos y tan sólo ocho millones de ovejas y cabras en una superficie semejante). El exceso de ganado en el norte de China desnuda el suelo de vegetación y el polvo queda a merced de los fuertes vientos estacionales. Se estima que unos dos mil quinientos kilómetros cuadrados, casi como media provincia de Girona, se suman al desierto cada año por esta causa.

En general, cultivar tierras inadecuadas (o hacerlo mal en las adecuadas) y eliminar la cubierta vegetal, con incendios forestales, talando bosques o mediante un pastoreo abusivo, son las causas más evidentes de la desertificación. Claro que no podemos olvidar la que se produce por el uso inadecuado del agua, como ocurre, probablemente, en algunas explotaciones del sureste español.

—*Esto nos toca más de cerca. ¿Qué podemos esperar en España, dado nuestro clima y con el Sahara a dos pasos?*

—Desgraciadamente, en este tema África sí parece empezar en los Pirineos. Gran parte del sur, el centro y el levante ibéricos son naturalmente frágiles y proclives a la desertificación, tendencia que han avivado las intervenciones humanas. Como resultado, España es un país con serias dificultades en este punto. Según los datos del Programa Nacional de Acción contra la Desertificación, treinta y cuatro provincias españolas sufren el problema en un grado alto o muy alto. Los focos principales están situados en Canarias, en toda la costa mediterránea, Andalucía, Castilla-La Mancha y Aragón. En opinión de mi colega José Luis Rubio, que fue uno de los primeros premios Rey Jaime I de Medio Ambiente, «España es el país con mayor riesgo de pérdida de suelo de toda Europa» y «la desertificación es el más grave de los problemas ambientales que afectan a nuestro país». La investigadora del CSIC Teresa Mendizábal, a la que también conozco desde hace muchos años, ha explicado el cambio reciente de las acciones que están detrás de la desertificación de parte de España: «Hasta hace tres o cuatro décadas —afirma— podíamos hablar de una mala gestión del bosque, de talas indiscriminadas e incendios provocados. Hoy sería más propio referirse a una agricultura inadecuada y a la sobreexplotación del suelo y de los acuíferos». Jorge Olcina, de la Universidad de Alicante, lo matiza subrayando, no sin razón, que la cubierta vegetal se está recuperando en gran parte del país (no hay más que ver las laderas de Sedano, antes peladas y hoy cubiertas de carrascas, quejigos y pinos de repoblación), de manera que la erosión tradicional debería estar reduciéndose. Sin embargo, Olcina añade un nuevo motivo de preocupación: la construcción, «los efectos letales de la pérdida de suelo fértil debida a las urbanizaciones», en sus propias palabras.

Para Juan Puigdefábregas, del que hablábamos antes, el paradigma, el caso más típico de cómo se produce la nueva desertificación en España, son los cultivos bajo plástico que cubren miles de hectáreas en la provincia de Almería. «En los años setenta —dice— los agricultores invirtieron mucho dinero en la transformación de pedregales en regadíos. Hace ya años que los pozos dan señales de agotamiento o sólo aflora agua salada por infiltración del mar. Mas los agricultores no pueden abandonar estas explotaciones, en las que invirtieron mucho, porque están endeudados. No les queda más remedio que seguir sobreexplotando los acuíferos.» Es una vía insostenible, que antes o después terminará con la tierra convertida en un yermo.

Está claro que en los países ricos, como el nuestro, pueden buscarse opciones, siempre caras, para retrasar el proceso, desde desalar el agua del mar hasta trasvasarla de otras cuencas, pero en los países pobres, cuando se agotan los pozos, sólo quedan el hambre y la emigración. El propio José Luis Rubio, al que acabo de mencionar, nos contaba hace unos meses que en un congreso científico celebrado recientemente en Valencia se había demostrado por primera vez la relación directa y estrecha entre los procesos de desertificación (que producen hambrunas) y los alzamientos y revueltas populares en el mundo en desarrollo.

—Asunto delicado. Pero, ya que ha surgido, ¿podemos conocer tu punto de vista sobre el problema tan debatido de los trasvases? El Levante necesita agua pero en España, como en otras regiones del

mundo, tampoco nos ponemos de acuerdo. Habría
que discutirlo con calma y espíritu abierto. ¿No está
superada ya la hora de las leves trabas, de las posicio-
nes domésticas?

—Creo que la discusión que tú pides, serena y
abierta, es precisamente lo que ha faltado. Nadie
negaría el agua para dar de beber a un sediento,
pero la cosa cambia si te la piden para plantar na-
ranjos en laderas inhóspitas, para cultivar bajo plástico en parques naturales o para construir más urbanizaciones y campos de golf (y dar de beber a
quienes los construyen y utilizan). ¿Hasta qué punto son ésas verdaderas necesidades? Cuando menos, es un tema complejo y habría que haber empe-
zado el debate por ahí. Hace unos meses escuché en
la televisión a un empresario levantino, completamente seguro de sí mismo, convencido de la solidez
de sus argumentos, afirmar: «Sólo queremos seguir
haciendo lo que hemos hecho hasta ahora, nada diferente; pero se nos ha terminado el agua y necesitamos que la traigan de otro sitio. ¿Quién puede opo-
nerse a eso?». Me sorprendió que aquel señor, sin
duda inteligente, no se planteara siquiera que tal
vez lo que «habían hecho hasta ahora» era insostenible, que no se podía mantener, puesto que había
llevado al agotamiento de un recurso tan vital como
el agua. Es como si yo gastara más de lo que gano,
me sorprendiera al quedarme sin blanca y reclama-
ra un aumento de sueldo para seguir manteniendo
el tren de vida «de siempre».

Nueva
cultura
del agua

Un hidrólogo muy famoso, Peter Gleick, ha escrito que hay que buscar una «nueva vía» (lo que en España se ha llamado «nueva cultura») para el agua. La medida del progreso no debería ser la cantidad de agua que se usa, sino el bienestar individual y colectivo que se obtiene por cada litro utilizado. Dicho de otro modo, no habría que obcecarse preguntándose a cada momento «¿de dónde saco más agua?», sino «¿de qué forma puedo reducir su consumo?». Y existen fórmulas para lograrlo, desde renunciar a ciertos usos a hacer el gasto más eficiente, evitar las pérdidas en las conducciones, favorecer los usos cerca de donde está el recurso, gestionar mejor los acuíferos, reducir la contaminación, que convierte al agua en inservible, reutilizar las aguas residuales afectando lo menos posible al caudal de los ríos que se alimentan de ellas... Si a pesar de todas esas medidas sigue siendo necesaria más agua en alguna parte, pues habrá que proporcionarla, con los menores costes sociales, económicos y ambientales posibles (por ejemplo, el trasvase del Ebro previsto tenía un enorme impacto, pero el de las grandes plantas desalinizadoras tampoco va a ser manco y habrá que tenerlo en cuenta). De todos modos, siempre me ha llamado mucho la atención la paradoja de que, siendo España una tierra más bien seca, nos contemos entre los países europeos con mayor consumo doméstico de agua por habitante y año.

—*En todo caso, si hay agua para todos, si sobra, ¿por qué tantas precauciones?*

—Precisamente ahí está la madre del cordero. Tenemos que acostumbrarnos a pensar que el agua es un bien escaso, precioso, cada día más caro, y que esté donde esté tiene algún papel, hace falta para algo. Me saca de quicio oír a personas ilustradas lamentarse de que no sé cuántos hectómetros cúbicos de agua se han desperdiciado porque han ido a parar al mar. ¡Pero si para eso, entre otras muchas cosas, están los ríos! Gracias a que llevan agua hasta la desembocadura existen las playas y comemos boquerones fritos, por citar dos ejemplos. ¿Sabías que hay una relación directa entre la cantidad de agua que el Ebro y el Ródano vuelcan al mar cada año y el éxito de las pesquerías de la flota de bajura al año siguiente? A más agua, más anchoas y sardinas. Podrá decirse que esa agua hace más falta en otros sitios, eso no lo discuto (aunque habrá que demostrarlo), pero lo que no se puede defender es que por el hecho de ir al mar sea agua perdida. ¿Quieres un ejemplo aún más llamativo, que aparece en muchos libros? Tras llenarse la gran presa de Assuán, en los años sesenta del siglo xx, el flujo del río Nilo disminuyó un noventa por ciento y los desembarcos de las pesquerías egipcias bajaron, en promedio, un ochenta por ciento. Las capturas de sardinas, por ejemplo, pasaron de dieciocho mil toneladas en 1962 a poco más de quinientas ocho años después. La pesca de langostinos descendió de más de ocho mil toneladas en 1963 a poco más de mil en 1969.

Uno de los dramas ambientales más conocidos en el mundo ha sido el del mar de Aral, el lago gigantesco situado al sur de lo que fue la Unión Soviética. Aral era alimentado por las aguas de dos grandes ríos provenientes del sur y del este, el Amurdaria y el Syrdaria. A partir de 1960, sin embargo, en el marco de un plan agrícola faraónico, esas aguas fueron derivadas para el riego de campos de arroz, trigo y, sobre todo, algodón. El lago comenzó a secarse y ha perdido la mitad de su superficie y dos terceras partes de su volumen. La pesca desapareció y con ella la forma de vida de millares de personas. Hay esqueletos de barcos varados en tierra, a decenas de kilómetros del agua. El nivel ha descendido quince metros y gran parte del fondo, cubierto por costras salinas, es hoy tierra firme. El viento levanta y dispersa las sales, que han resultado tóxicas para las personas y las plantas. Los cultivos han fracasado, la contaminación se ha incrementado, el paisaje es lunar... ¡Eso prueba que sí era importante que el Amurdaria y el Syrdaria llevaran agua hasta su desembocadura! En la actualidad, los cinco países afectados por la crisis del mar de Aral discuten sobre la manera de poner en marcha un costosísimo programa de recuperación ambiental.

—*Sigo con el tema, pero en España. ¿Has visto recientemente los salmones del río Pas en Puenteviesgo? ¿Recuerdas que íbamos a verlos todos los años, camino de la playa, cuando erais niños? Hasta hace nada yo he seguido yendo por allí asiduamente, al menos una vez cada verano, la visita obligada a La Montaña. ¡No te puedes imaginar qué tristeza! ¡Un*

río muerto! Un río de charcos donde unos pocos sal-
mones (en compañía, eso sí, de cada vez más múgiles;
¡menudo consuelo!) se hacinan unos sobre otros, sin
posibilidad de encarar la mortecina corriente. He
preguntado las razones y me han dicho que se llevan
el agua del río porque hace falta en Santander.

—¿Lo ves? Te respondes a ti mismo cuando pre-
guntabas si había agua para todos. Desgraciadamente, no la hay. Lo que se lleva a Santander, no pueden
tenerlo los salmones. Una de dos. Eso mismo, de
una forma u otra, se repite en todo el mundo, pues
el agua dulce es un bien limitado y las necesidades
de los hombres crecen cada día. Vamos a las cifras,
tan elocuentes: cada vez que la población humana
se duplica (y ya sabemos que eso ocurre con creciente rapidez), las exigencias de agua dulce se mul-
tiplican por tres. A lo largo del siglo xx el consumo
de agua de nuestra especie ha aumentado siete veces. Hoy día, sólo los seres humanos utilizamos casi
el sesenta por ciento del agua dulce disponible en
la biosfera.

—A los que hemos sido hombres de mar antes
que escritores, este asunto nos trae siempre a la cabe-
za la frase que Samuel T. Coleridge, escritor románti-
co inglés de finales del XVIII, puso en boca del viejo
marinero protagonista de uno de sus poemas. Parali-
zado por la calma chicha en medio del Pacífico, bajo
«el sol sangriento del mediodía», el navegante de Co-
leridge, angustiado, proclamaba: «Agua, agua por to-

das partes / y ni una sola gota para beber». Doy fe de
que se puede pasar mucha sed rodeado de agua. ¿Sa-
béis cuánta agua dulce hay en el mundo?

—Hace unos años un equipo de investigadores
de San Petersburgo, encabezado por el profesor
Shiklomanov, echó las «cuentas del agua» del Planeta. La cantidad total de agua existente, en forma
de vapor, de hielo o como agua líquida, salada o
dulce, es limitada y constante. De acuerdo con los
cálculos de los rusos, que ellos mismos reconocen
haber obtenido «a partir de premisas algo burdas»,
el 97,5 por ciento de esa agua es salada y está en los
mares y océanos, por lo que, a primera vista, podría
parecernos poco útil. Sin entrar a discutir las fun-
ciones de los océanos (que contribuyen a regular el
clima, por ejemplo), debemos señalar que el agua
salada es fundamental, porque la dulce, que tanto
necesitamos, procede en su totalidad de la evaporación del agua del mar y al mar acaba volviendo
tras un ciclo más o menos largo. El Sol es el motor
de esa enorme y gratuita factoría desalinizadora de
agua marina, mientras que los recursos geológicos
y los seres vivos son las piezas de sostén de la maquinaria. Una parte del agua evaporada cae a la superficie terrestre en forma de lluvia, nieve o granizo
y, o bien se evapora de nuevo, o bien, antes de volver al mar, se deposita temporalmente en el suelo,
los ríos, lagos, aguas subterráneas, glaciares, etc. ¡Incluso en el cuerpo de los seres vivos, que en gran
medida estamos hechos de agua! Pero según las

cuentas de Shiklomanov, casi nueve décimas partes del agua dulce están congeladas formando los casquetes polares ártico y antártico y los glaciares de las altas montañas, o son aguas subterráneas tan profundas que resulta impracticable extraerlas. En definitiva, de toda el agua que hay en nuestro planeta, poco más de cuatro partes de cada mil son agua dulce asequible para la mayoría de los seres vivos (el escritor Marq de Villiers lo ha expresado de un modo muy gráfico: «Si toda el agua de la tierra se guardara en un bidón de cinco litros, el agua dulce disponible no llenaría del todo una cucharilla»). Eso hace que la competencia por el recurso agua dulce sea feroz, no sólo entre los hombres, sino también entre el hombre y las demás especies, sean salmones del Pas o nutrias del Segura.

—*Recuerdo que se atribuye a Mark Twain, a este propósito, la frase: «El whisky es para beber y el agua para luchar». De todos modos, lo que me dices desafía los planteamientos habituales, al menos tal como creo haberlos observado en España. Tal vez por rutina, hasta las últimas «batallas del agua», a raíz de la propuesta de trasvase del Ebro, lo normal era que los españoles consideráramos el agua dulce como algo ilimitado y prácticamente gratuito. O sea, un bien abundante y barato, aunque quizás mal repartido. Ya sabes que solemos decir que nunca llueve a gusto de todos, lo que puede traducirse como que siempre llueve de más o de menos, bien para unos, mal para otros. La meteorología juega con nosotros y, sobre todo, con los meteorólogos, que raras veces aciertan de lleno. Pero lo que a nadie se le había ocurrido es que lloviera mal para todos. Los políticos no nos explican eso. Los políticos apenas hablan de cosas importantes. A los «profanos preocupados» nos da la sensación de que no comparten la preocupación de los científicos, que cada cual anda por su lado. Con el problema concreto del agua, mi impresión es que a los políticos les preocupa, sí, pero no más allá de los cuatro o cinco años que va a durar su mandato. ¡Después de mí el Diluvio!, parecen pensar.*

—Un día que estaba muy agobiado, mientras fui director de la Estación Biológica de Doñana, alguien, creo que fue José Antonio Valverde, me aconsejó: «No olvides los asuntos importantes por ocuparte de los urgentes». Me di cuenta de que tenía toda la razón del mundo, pero nunca me fue fácil seguir su recomendación. A veces pienso si a los políticos no les sucederá lo mismo. De todos modos, creo que la mayoría son muy conscientes del problema que tenemos encima. Con una población mundial que puede superar los nueve mil millones de personas mediado este siglo, necesitaremos mucha más agua que ahora (entre otras cosas, para regar los campos y poder comer) y no sé de dónde la obtendremos.

—*Y las aguas subterráneas, ¿no podrían ser una solución? ¡Claro que ya me has dicho que hay pozos en Almería que alumbran agua salada!*

—Las aguas subterráneas están tan sobreexplotadas como las de superficie. Cuando los pozos se secan es porque los acuíferos se agotan. Algunos acuíferos, que se recargan con las lluvias y el deshielo, pueden explotarse de nuevo, pero sólo en la medida en que se dé la recarga. Otros, los llamados acuíferos fósiles, están aislados de las aguas superficiales y no pueden recargarse, de manera que una vez agotados lo están para siempre. Depender de aguas subterráneas por encima de su nivel de recarga es, por tanto, vivir hipotecados para el futuro, porque antes o después se acabarán. Además, los acuíferos alimentan las fuentes y veneros, así que explotándolos en exceso ponemos en riesgo, también, la salud de arroyos, ríos y zonas húmedas.

Esa explotación excesiva, por desgracia, está ocurriendo en gran parte del mundo. Mientras la única manera de extraer agua de la tierra fue con molinos de viento o con norias movidas por borricos, era muy difícil, por no decir imposible, agotar los acuíferos. Todo eso ha cambiado, claro está, con la poderosa maquinaria de hoy, que permite alumbrar pozos para extraer agua almacenada a cientos, o a más de mil, metros de profundidad. En España, las Tablas de Daimiel (un parque nacional por el que Cosme Morillo y los restantes redactores de *Fauna*, con Félix Rodríguez de la Fuente a la cabeza, peleamos mucho cuando escribíamos la enciclopedia) se secaron a consecuencia de la explotación abusiva del acuífero que las alimentaba. Hay problemas parejos en Canarias, Aragón, Levante y en tierras de Medina, al sur de Valladolid, como se encargaba de advertirme cada vez que nos veíamos el ecólogo Fernando González Bernáldez, que nos dejó prematuramente. Y en otros países es aún peor. Hoy día se esquilman acuíferos en lugares tan ricos como Estados Unidos y tan pobres como la India. En Libia, por ejemplo, el agua fósil utilizada para regar, después de ser transportada centenares de kilómetros, excede en siete veces a la que el país recibe cada año en forma de lluvia. Cuando se acabe su agua subterránea, lo que sin duda ocurrirá, ¿qué van a hacer los libios? La respuesta de los tecnócratas es muy característica de la manera de pensar de los «optimistas ambientales»: «Ahora, regando, resolvemos un problema; cuando se nos plantee otro, al agotarse el agua, ya veremos; seguramente para entonces tengamos otras soluciones».

—*Puedo entender que los humanos necesitamos el agua dulce para beber, lavarnos, regar, refrigerar las máquinas... pero no me hago idea de las proporciones. ¿Lo sabes tú? ¿No lo calcularon en las cuentas esas de las que hemos hablado antes?*

—Como casi todo a estas escalas tan grandes, se sabe aproximadamente. Entre el setenta y el ochenta por ciento de las exigencias de agua corresponden a la agricultura, para los regadíos. El restante veinticinco por ciento se lo reparten las industrias y, en menor medida, el consumo doméstico. De todos modos, como podrás comprender, varía mucho de unos lugares a otros, pues en países húmedos, como Alemania, prácticamente no se gasta nada en regar y casi todo va a la industria. La crisis mundial del agua dulce afectará sobre todo a la producción de alimentos en los países en desarrollo y va a traducirse en hambre, desórdenes y migraciones.

—*El hambre es muy mala consejera. Movidos por el hambre, los hombres han peleado en el pasado en guerras territoriales, tratando de arrebatar las fuentes de alimento a otros hombres. Tengo la sensación de que en el presente sufrimos guerras horrendas por el petróleo, otro recurso hoy por hoy esencial. ¿Llegaremos a vivir guerras similares por el agua?*

—Podría ser y así está escrito. Marq de Villiers dice que «ha habido guerras, o amenazas de guerra, en varios sistemas fluviales» y explica que la resistencia israelí a aceptar un estado palestino tiene que ver con el control de los recursos hídricos de los altos del Golán y la franja de Gaza, o que Egipto ha anunciado que no le quedaría otro remedio que ir a la guerra si Etiopía desvía en su provecho una parte significativa del Nilo Azul. La tensión existe entre otros muchos países: la India y Pakistán por el río Indo, Irak, Siria y Turquía por el Éufrates y el Tigris, México y Estados Unidos por el río Colorado, la India y Bangladesh por el Ganges, Brasil y Argentina por el río Paraná, Namibia y Botswana por el paraíso natural del delta del Okawango... No obstante, hay quien cree que se ha sobrestimado el riesgo de guerras del agua, pues en todo caso guerrear resultaría más caro que obtener agua a altos precios. Si te digo la verdad, a mí siempre me ha parecido una visión demasiado optimista, incluso ingenua, pues cuando los hombres deciden hacer la guerra raramente consideran sus costes. Al oír el argumento me acuerdo de la perplejidad de tu personaje Pacífico Pérez, de *Las guerras de nuestros antepasados*, cuando El Bisa le decía que «apañados estaríamos si las guerras necesitasen motivos».

—*Verdaderamente, con la pérdida de suelo fértil y la creciente demanda de agua dulce, los agricultores lo van a pasar mal para darnos de comer a tantos, y los gobiernos para atender las demandas de los agricultores y de los pueblos hambrientos. E imagino que será todavía peor cuando avance el cambio climático, pues a más temperatura habrá más desertización y mayor necesidad de agua.*

Contaminación química

—La ineludible necesidad de producir más, derivada del crecimiento de la población humana, está originando también problemas ambientales de otros tipos. En un artículo de hace tres años, un ecólogo llamado David Tilman y varios de sus colegas llamaron la atención sobre el aumento del uso de pesticidas y abonos químicos en el conjunto del Planeta a lo largo de la segunda mitad del siglo xx. Sus datos eran inequívocos. Antes de 1950, señalaron, prácticamente no se utilizaban herbicidas e insecticidas químicos, mientras que en 1975 se emplea-

74

ron un millón y medio de toneladas y hacia 1990 el doble. El crecimiento es lineal, sin altibajos ni vacilaciones, de manera que de seguir las cosas igual podría adelantarse que en el año 2025 se emplearán cerca de seis millones de toneladas. No es fácil que la naturaleza pueda soportar ese nivel de envenenamiento. Sin olvidar que a los pesticidas habría que sumar otros productos químicos fabricados a gran escala, de los que no hemos hablado. Actualmente se comercializan en Europa cerca de treinta mil productos químicos diferentes (para pinturas, envases, nuevos materiales, impermeabilizantes, etc.), y de muchos de ellos no se conocen los efectos a medio y largo plazo sobre los seres humanos y la vida silvestre. Mundialmente, la producción de estos compuestos ha pasado en los últimos setenta años de tan sólo un millón a cuatrocientos millones de toneladas. No es raro, por tanto, que mis amigos de WWF-ADENA tilden a esta contaminación química de «la cara oculta de la industrialización y una amenaza transgeneracional brutal e invisible».

En cuanto a los abonos, en 1960 se usaron alrededor de diez millones de toneladas de fertilizantes nitrogenados, que subieron a cerca de cincuenta millones en 1980 y aproximadamente a ochenta millones en 1999. Con cifras más bajas, un crecimiento semejante, imparable, se observa en el uso de abonos fosforados. Las Naciones Unidas han advertido que los niveles de fertilización a que estamos sometiendo al Planeta constituyen un «experimento incontrolado». ¿Con qué posibles consecuencias?

Desde luego, el abonado excesivo (como conoce todo el que esté familiarizado con los vertidos de purines de las granjas porcinas) favorece a las malas hierbas y a las especies exóticas, contamina los ríos y los lagos, que pierden el oxígeno, y a otra escala posibilita las mareas rojas en los océanos, potencia la lluvia ácida, acrecienta el efecto invernadero... Para algunos estudiosos, los cambios inducidos por el hombre en el ciclo del nitrógeno tendrían tanta trascendencia para el futuro de la vida en la Tierra como los referentes al aumento del CO_2.

Pero tienes razón; centrándome en tu pregunta, el cambio climático, en principio, dificulta la lucha contra la desertificación y exige, para producir lo mismo, el empleo de más agua dulce. Y no sólo eso. El aumento de las temperaturas también afecta negativamente al rendimiento de las cosechas. Hay bastantes estudios al respecto y se sabe que pequeñas alzas mantenidas en la temperatura media condicionan gravemente los rendimientos de las cosechas de cereal, que se agosta. Muy gráficamente, unos investigadores de Ohio, en Estados Unidos, escriben que por encima de 40 °C las plantas de su tierra dejan de producir, pues entran en un estado de *shock* térmico y su único objetivo es sobrevivir (más o menos lo mismo que me ocurre a mí en Sevilla cuando, como hace unas semanas, alcanzamos los 44 °C a la sombra). En el caso del arroz, un estudio en el sur de la India sugiere que por cada grado que sube la temperatura se produce una reducción en la cosecha de un seis por ciento. Con el maíz y la soja en

Estados Unidos parece ser peor, pues por cada grado que aumenta la temperatura entre junio y agosto cae un diecisiete por ciento el rendimiento de esos cultivos. En sentido contrario, todo hay que decirlo, un aumento de la concentración de CO_2 en la atmósfera funciona, de hecho, como la aportación de un fertilizante (el carbono), lo que al menos a corto plazo aumentaría la productividad. El efecto neto, por tanto, es difícil de imaginar.

—*Yo pienso, sin embargo, que algunos de estos reveses podrían compensarse, pues al fin y al cabo otros sitios que ahora son demasiado fríos se verán favorecidos por la subida de temperaturas y se podrá cultivar en ellos.*

—Cierto. No puede negarse que en algunos lugares de la Tierra las circunstancias, al menos sobre el papel, pueden mejorar. Tal vez Groenlandia se vuelva de verdad una «tierra verde» (*green land*), como sugiere su nombre. O quizás los escandinavos dejen de viajar al Mediterráneo, donde hará demasiado calor, y en cambio los españoles, para regocijo de nuestros vecinos nórdicos, acudamos en masa a tomar el sol a las playas del Mar del Norte, con una temperatura ideal. Pero, en lo que atañe al clima, ningún cambio, y menos aún si es brusco, resulta bueno, ya que cuesta mucho adaptarse a él.

Recuerdo haber leído hace años, cuando el cambio climático tan sólo comenzaba a ser un tema de conversación, una novela que me llamó mucho la atención y tenía que ver con esto. La buscaré en casa, pero recuerdo que se titula *El genio* y es de un alemán, Dieter Eisfeld. El protagonista, un sabio solitario que trabaja con ordenadores, inventa una máquina que permite programar los meteoros a voluntad. Puede traer, al accionarla, el frío o el calor, la lluvia o el sol, la niebla o el granizo. Durante unos días consigue sol y temperaturas de agosto en mitad del invierno alemán y los periódicos proclaman, exultantes, la «liberación de la tiranía de las estaciones». El inventor se muestra muy satisfecho porque cree haber hecho una gran aportación a la humanidad, pero pronto se da cuenta de que su máquina provoca enfrentamientos de toda índole, desde exigencias de multinacionales a trifulcas entre afectados de distintos sectores (por ejemplo, los agricultores quieren más lluvia y los empresarios turísticos menos), conflictos bélicos entre países, etc. Le agobian su inmensa responsabilidad y las múltiples presiones que recibe, pero todo empeora aún más cuando el control de la máquina se le escapa de las manos y el clima enloquece.

—¿Puede enloquecer el clima? Únicamente eso explicaría las continuas noticias de sequías pavorosas, inundaciones catastróficas, tornados devastadores...

Clima
enloquecido

—Para el genio de la novela de Eisfeld el frío invernal de Alemania era de locos, de manera que él cree hacer un favor a sus paisanos al transformarlo en su novela en un calor razonable. Pronto se da cuenta, sin embargo, de que todo el mundo espera el hielo y la nieve en invierno, y por tanto, son lo normal, es decir, lo cuerdo. Cambiarlo sólo provoca trastornos. En ese sentido, como tú sugieres, el calentamiento que sufrimos equivale a que el clima haya perdido la cabeza, se está volviendo loco. Ahora no sabemos bien qué se puede esperar, cuál es la norma, si lo normal ha dejado de ser normal. Siempre han existido eso que algunos meteorólogos llaman «aberraciones climáticas» (sequías o lluvias catastróficas, olas de frío o calor, heladas tardías, etc.), pero en todos los casos cabía el consuelo de que se trataba de algo episódico, excepcional, de que las cosas volverían a su cauce, pues lo que había ocurrido no era más que eso, una aberración. Las predicciones indican, sin embargo, que las presuntas rarezas van a dejar de serlo para entrar a formar parte de la normalidad. Como han escrito Karl y Trenberth, dos prestigiosos especialistas americanos, en lo que atañe al clima «nos estamos aventurando en lo desconocido».

—Según hablabas pensaba en las «gotas frías» de nuestras zonas mediterráneas. Cuando yo era niño no existían o, al menos, eran tan raras que no tenían nombre. Hoy se habla de ellas como se habla de la niebla, un fenómeno atmosférico normal. Se cuenta con las gotas frías y se calculan sus resultados catastróficos.

—Pero por mucho que se calculen sus efectos, no dejan de ser catástrofes. Hay que ponerse en el lugar de las compañías de seguros. Sólo pueden sobrevivir cubriendo riesgos improbables. Si la desgracia que te amenaza es habitual, nadie querrá asegurarte, pues perdería dinero. Cada vez hay más quejas y más reticencias de las empresas a la hora de emitir pólizas por catástrofes naturales relacionadas con la climatología. Por ejemplo, un importante grupo de empresas financieras liderado por Swiss Re, una de las compañías reaseguradoras más importantes del mundo, anunció en marzo de 2004 que los costes económicos derivados de desastres naturales amenazan con doblarse cada década. Según sus expertos, puede suponer que las aseguradoras atiendan demandas de entre treinta y cuarenta mil millones de dólares anuales, lo que equivale, señalan significativamente, a que «las Torres Gemelas de Nueva York fueran atacadas por terroristas cada año». Gerhard Berz, responsable de los estudios sobre riesgos ambientales de la empresa Munich Re, informó de que la ola de calor del verano de 2003 en Europa costó la vida a veinte mil personas y pérdidas económicas de más de trece mil millones de dólares. Pero además dijo que debemos irnos acostumbrando a veranos así de calurosos, pues «mediado el siglo XXI ésa será, más o menos, la norma». La frecuencia creciente de catástrofes similares, anuncian, podría llevar a las compañías de seguros a la insolvencia.

—*¿Cómo podemos adaptarnos a esa «normalidad anormal» que se aproxima, que ya está aquí?*

—Seguro que se pueden intentar muchas cosas, pero no es fácil decidir cuáles, pues, como te he dicho, no sabemos con precisión qué se nos viene encima en cada momento y en cada zona del mundo. Cabe intentar, por ejemplo, sustituir los cultivos actuales por otros más resistentes a la sequía o que requieran menos gasto de agua (se ha hablado de sustituir el trigo por el sorgo y el mijo, o el arroz por el trigo), pero para eso deberíamos estar seguros de que, allá donde se intente, la sequía va a predominar. A ese nivel de detalle la incertidumbre reina en todas partes. Es prácticamente seguro que los cambios de temperatura van a afectar a ciertos lugares de diferente modo que a otros, siendo, por lo regular, más acusados en latitudes altas (hacia el norte y hacia el sur) que en las medias y bajas. Las precipitaciones totales pueden aumentar, pues con más calor habrá más evaporación, pero caerán con más frecuencia en forma de lluvias torrenciales y no de suaves chirimiris, y también lo harán de manera desigual según los lugares. Groseramente, se cree que en el norte de Europa, Asia y América lloverá más, tanto en verano como en invierno, mientras que en el centro de África lloverá más en invierno, en el este de Asia en verano, y en Australia y África del Sur, como hemos visto que está ocurriendo en España, disminuirán las precipitaciones invernales. Además, ya lo hemos hablado, con carácter general (y para eso es muy difícil prepararse adecuadamente) aumentará la frecuencia de fenómenos extremos como olas de calor, sequías, inundaciones, tornados, gotas frías, vientos huracanados, etc.

—*Una película reciente, titulada* El día de mañana *en España y catalogada como ciencia ficción, anuncia una paradójica glaciación como consecuencia probable del calentamiento global.*

—Es cierto. Se trata de una superproducción americana sin grandes aspiraciones de rigor científico, pero que debería tener la virtud de sensibilizar a la gente. En la película, como en la realidad, los científicos advierten del peligro, pero los responsables políticos se hacen los sordos, hasta que ya es demasiado tarde. El argumento está basado en una posibilidad real, postulada, entre otros, por el climatólogo Wallace Broecker: como consecuencia del aumento de temperaturas y el consiguiente deshielo de las masas de agua árticas, que afectaría a la salinidad del mar, podría atenuarse o interrumpirse por completo la Corriente del Golfo, la célebre *Gulf Stream* del océano Atlántico que, procedente del sur, templa las aguas que bañan las costas europeas. Si eso ocurriera, traería como consecuencia un enfriamiento repentino de todo el Atlántico norte, incluyendo Europa occidental y por tanto España. La mayoría de los expertos considera poco probable, por ahora, el riesgo de que cambios en la corriente oceánica del Atlántico provoquen un brusco «efecto ártico» en Europa y Norteamérica, pero no lo descartan por completo. Hasta ese extremo llegan nuestras dudas: probablemente en veinte años nos asaremos de calor, pero también podríamos pelarnos de frío.

—Lo que sí es más seguro es la subida del nivel del mar, ¿no?

—Desde luego. Ya está ocurriendo. En Vigo se estima en algo más de dos milímetros por año y en Alicante se han medido recientemente subidas anuales de cuatro milímetros. De acuerdo con las previsiones del grupo de expertos de la ONU, que con el paso del tiempo y los nuevos datos podrían resultar excesivamente prudentes, muchos glaciares van a derretirse. De hecho, ya lo están haciendo; antes hablamos del Kilimanjaro pero, sin necesidad de ir tan lejos, el glaciar del Monte Perdido, en los Pirineos, que ocupaba cerca de quinientas hectáreas a principios del siglo XX, no abarca hoy más de veinte (por cierto, la pérdida de los glaciares tendrá repercusiones importantes, pues constituyen auténticos depósitos de agua dulce que, entre otras cosas, alimentan los arroyos y ríos en verano, cuando no llueve). También se derriten los hielos polares. Además, el agua del mar, al calentarse, se dilata, se da de sí, como cualquier otro cuerpo. A consecuencia de la fusión de los hielos y de la dilatación del agua líquida, el nivel del mar, que ha subido unos veinte centímetros en el siglo XX, ascenderá en el XXI entre diez centímetros y un metro.

La subida del mar es una de las consecuencias más preocupantes del cambio climático. Perjudica a las playas, ya en regresión, lo que en algunos países, como España, obliga a regenerarlas artificialmente de forma casi permanente. Daña, también, a los acuíferos y los pozos cercanos a la costa, que se contaminan con agua salada. Produce la destrucción de humedales y marismas costeras... Pero no es sólo eso, con ser mucho. Recuerdo que ya en Brasil, en la Cumbre de Río, algunos Estados limitados a islas con escaso relieve manifestaban su angustia porque el país entero podía desaparecer físicamente si el océano ascendía tanto como se anunciaba. Hace unos años los habitantes del pequeño archipiélago de Tuvalu, en el Pacífico, a medio camino entre Hawai y Australia, se hicieron tristemente famosos porque fueron pioneros en anunciar que se rendían ante los embates de la mar. Los ciclones inundaban cada vez con más frecuencia sus tierras bajas, el agua dulce se tornaba salada, las cosechas se perdían... Ya en 1997, durante la conferencia de Kioto, el señor Toaripi Laupi, primer ministro de Tuvalu, se dirigió a la asamblea y les explicó que una de sus islas había sido barrida por el mar. «No quedaron cocoteros, ni árboles, ni plantas; sólo rocas y arena», añadió. Poco después tuvo que pedir oficialmente, a Australia primero y a Nueva Zelanda después (en ambos casos sin éxito, dicho sea de paso), que dieran cobijo en calidad de refugiados ambientales a los once mil ciudadanos del país (por fin parece haberse firmado un acuerdo con Nueva Zelanda, que acepta acogerlos «en pequeñas dosis» cuando la situación sea desesperada y sin posibilidad de vuelta atrás). De todos modos, los gobernantes del archipiélago se han planteado llevar el asunto a los tribunales internacionales: «Nos hallamos en primera línea del cambio climático sin ninguna culpa; es justo que las industrias y los habitantes de los países más desarrollados se responsabilicen de las consecuencias de sus acciones», afirman con toda razón.

De una forma menos angustiosa y algún tiempo antes, el presidente de las Maldivas, un archipiélago del océano Índico famoso por los atractivos turísticos de sus islas paradisíacas, avisó de lo que podría ocurrirle a su país. Cuenta con trescientos mil habitantes en más de un millar de islas y atolones cuyo relieve apenas supera el metro de altitud. ¿Qué sucederá si el mar sube ese metro? ¿Cómo aguantarán en caso de tormenta con grandes olas? No puede sorprender que las Maldivas fuera el primer país en firmar el Protocolo de Kioto para controlar la emisión de los gases de invernadero.

Si nos fijamos, sobre todo, en el número de personas afectadas, puede ser peor aún en las zonas bajas de los continentes. Suponiendo que el mar suba un metro, sólo en Bangladesh podrían inundarse más de veinte mil kilómetros cuadrados, en su mayor parte arrozales, lo que obligaría a desplazarse a diecisiete millones de personas. Al menos cien millones de almas viven actualmente en el mundo por debajo de un metro de altura sobre el nivel del mar.

—¿Quieres decir que en un futuro no lejano los refugiados climáticos pueden ser tan numerosos como los que hoy día se ven obligados a desplazarse por el hambre, las guerras y otras calamidades?

—Es francamente difícil distinguir unos refugiados de otros, pues, como hemos ido viendo, todos los problemas están muy relacionados. Ya dijimos, a propósito del agua, que las guerras actuales están cada vez más trufadas de conflictos ambientales. Sin duda, la convicción de que el uso prudente de los recursos naturales es una base imprescindible para la libertad, la justicia, la erradicación de la pobreza y, en definitiva, el respeto mutuo y la vida en común, ha tenido mucho que ver en la concesión del Premio Nobel de la Paz a la ecologista keniata Wangari Maathai (a quien, dicho sea de paso, yo no conocía previamente, como a veces os ocurre a los escritores con el Nobel de Literatura). De cualquier forma, hay que admitir que para miles de millones de personas el panorama no es ahora mismo muy alentador, y de no cambiar mucho las cosas será peor dentro de unos lustros.

—*¿Y la salud? ¿Cómo soportará la salud del hombre estos cambios? Antes lo mencionaste, pero me parece que se habla poco del asunto. Yo, al menos, no tengo noticias.*

Clima y salud

—Existen revistas científicas e institutos de investigación médica que se llaman *Cambio Global y Salud*, o cosas parecidas. Se dedican a estudiar cómo pueden repercutir sobre la salud humana los cambios recientes de amplitud mundial, sean climáticos, ambientales, sociales o económicos. Un clima más cálido, por ejemplo, favorece la expansión de mosquitos portadores de enfermedades que hoy están restringidos a climas tropicales. Esto ya está ocurriendo. La posibilidad de que el paludismo y el dengue, entre otros males, proliferen en latitudes templadas, donde hasta ahora han sido desconocidos, es más que una amenaza. También se han relacionado con la suavización de las temperaturas invernales algunos brotes de una encefalitis transmitida por garrapatas, por ejemplo en Suecia. El adelanto de la aparición del polen repercute directamente sobre las personas alérgicas. Indirectamente, el aumento del calor, la proliferación de sequías e inundaciones y la escasez de agua dulce, irán aparejadas sin duda con un incremento de enfermedades infecciosas como el cólera y la salmonelosis que, por cierto, tú mismo padeciste en tus carnes.

—*Me sorprende que tratándose de un problema de esta magnitud, que desafía mis peores presagios, no se estén haciendo esfuerzos mayores por remediarlo, como decía en una entrevista en* El Norte de Castilla *Eduardo Galante. Ahora da la impresión de que hablamos con más frecuencia en España de cumplir con el Protocolo de Kioto, pero otros países siguen llamándose andanas, ¿no es cierto?*

—En 1992, en la Cumbre de la Tierra de Río de Janeiro, a la que asistí, se acordó un gran convenio marco de carácter general sobre el clima, auspiciado por la ONU. Entonces eran muchos más que

Protocolo de Kioto

ahora los que dudaban de la influencia humana en el cambio climático, así que la primera tarea fue convencer, poco a poco, a los escépticos (para ello fue muy importante que ecologistas y científicos fueran de la mano, cada uno en sus respectivos campos de actuación). Lo cierto es que, tras mucho tira y afloja, en 1997 se firmó en la ciudad japonesa de Kioto un protocolo concreto que, simplificando mucho, obligaba legalmente a los países industrializados a reducir un cinco por ciento sus emisiones de gases de efecto invernadero antes del año 2012. Es curioso mirar aquel momento desde aquí, cuando añoramos tanto la entrada en vigor del Protocolo, pues lo cierto es que entonces a los conservacionistas nos pareció un acuerdo muy tímido. Y lo era, dicho sea de paso: cumpliendo con Kioto no evitaremos que la Tierra se siga calentando, pero lo hará menos que si desatendemos el Protocolo. Probablemente nuestra añoranza sea sólo una demostración más de que, para hacer camino, lo más difícil e importante es empezar a andar.

Visto con perspectiva, el Protocolo de Kioto se elaboró con una lucidez y generosidad infrecuentes en las relaciones internacionales. Para empezar, se aceptó que sólo los países desarrollados redujeran sus emisiones, asumiendo que los países pobres, que emitían muy poco, no estaban en disposición de reducir nada (más bien al contrario). Además, se fijó el cinco por ciento de disminución como promedio, pero admitiendo que cada país redujera la producción de gases de acuerdo con su situación económica y social. Así, considerando siempre como base las emisiones de 1990, la Unión Europea aceptó una reducción del ocho por ciento en el periodo 2008-2012, mientras que Estados Unidos reduciría un siete por ciento, Japón un seis por ciento y Rusia no bajaría sus emisiones pero tampoco las aumentaría, se mantendría en los niveles de 1990.

—Yo tenía entendido que, por un lado, Estados Unidos no quería colaborar y, por otro, España, pese a formar parte de la Unión Europea, estaba autorizada a producir más gases de invernadero, bien que en cantidades limitadas, y no debía reducirlos.

—Empezando por el final, en el seno de la Unión Europea se negoció la manera de repartir el ocho por ciento de reducción conjunta, y mientras unos países aceptaron bajar más allá de esa cantidad, otros, menos fuertes, fueron autorizados a incrementar de manera controlada sus emisiones. En el caso de España, el tope admitido es llegar a liberar en 2012 un quince por ciento más de gases de efecto invernadero que en 1990.

Respecto a la posición de Estados Unidos, lo que está haciendo es negarse a ratificar el Protocolo, de manera que incluso si entrara en vigor no le afectaría. En principio, esa postura era compartida por otros países desarrollados importantes, como Rusia, Japón, Canadá y Nueva Zelanda, pero hoy sólo Australia, con Mónaco y Liechtenstein, secunda a los norteamericanos en su rechazo a la ratificación. Naturalmente, llama mucho la atención la actitud de Estados Unidos, porque es la primera potencia contaminadora del mundo y, en consecuencia, la principal responsable del calentamiento que sufrimos todos.

Para entrar en vigor, el Protocolo requería que se alcanzara un doble cincuenta y cinco: tenían que ratificarlo cincuenta y cinco países y entre todos ellos debían sumar, al menos, el cincuenta y cinco por ciento de los gases ingratos que se emiten actualmente a la atmósfera. Asumiendo que los dos países citados antes no iban a ratificarlo, al menos a corto plazo, la decisión ha estado durante largo tiempo en manos de Rusia, que sin comerlo ni beberlo se vio de pronto investida de un papel estelar: si Rusia ratificaba el Protocolo se superaría el segundo cincuenta y cinco (el primero ya estaba superado ampliamente) y sería de obligado cumplimiento; si no lo hacía, no. En esas condiciones, Rusia se ha dejado querer, diciendo a veces con vehemencia que firmaría y otras, con el mismo énfasis, que no, de acuerdo con el beneficio que indirectamente esperaba obtener de una postura u otra. En octubre de 2004, el gobierno ruso primero y luego la Duma, el parlamento, aprobaron la ratificación, que fue comunicada oficialmente a la ONU mediado noviembre. Como tienen que transcurrir tres meses, ya puede confirmarse que conocemos la fecha histórica en la que el Protocolo de Kioto entrará en vigor: el 16 de febrero de 2005.

En cuanto a la Unión Europea, se comprometió liberalmente a respetar los acuerdos de Kioto al margen de quien los firmara y de que llegaran a entrar en vigor o no. Es como si los europeos hubiéramos dicho: «Si el mundo padece calamidades aún mayores por el cambio climático, que no quede sobre la conciencia de Europa el no haber intentado remediarlo». Tal vez fuera una actitud algo quijotesca e ingenua, pero te confieso que como ciudadano europeo me sentí orgulloso y confortado por una toma de postura tan decidida. Cuando en la reunión sobre el clima de Bonn, en 2001, se llegó a un acuerdo de mínimos para que Kioto siguiera adelante, a pesar de los intentos de boicot por parte de la delegación americana, la Comisaria Europea de Medio Ambiente, Margot Wallström, se despidió de los periodistas con una frase afortunada: «Estamos cansados pero felices; creo que podemos volver a casa y mirar a nuestros hijos a la cara».

—*Comparto tu satisfacción. Lo que de momento me preocupa es si lo vamos a cumplir o no, porque firmar es muy fácil mientras no hay detrás una norma de derecho internacional que obligue al cumplimiento.*

—Ésa es otra cuestión y no baladí. La verdad es que durante un tiempo, y con cierto aire provocador, he defendido la negativa de Bush y del gobierno norteamericano a firmar. Mi argumento era que si uno no piensa cumplir, lo más honrado y valiente es decirlo a la cara y afrontar las consabidas críticas. Me parecía peor la actitud española, en teoría muy en consonancia con los planteamientos de

Kioto pero con muy pocos deseos de llevarlos a la práctica. Por ejemplo, en primavera de 2004, a los siete años de firmar el Protocolo, en España se registraba un aumento del cuarenta por ciento de las emisiones de gases nocivos respecto a 1990, cuando, como te he dicho, en 2012 no deberíamos pasar del quince por ciento. Además, nos faltaba el plan nacional de asignación de emisiones que exigía la Comisión Europea, plan que el gobierno surgido de las urnas en marzo de 2004 ha tenido que preparar a toda prisa y ha presentado hace poco al Consejo Nacional del Clima de España. Por lo demás, hay países europeos como Francia, Alemania, Suecia y el Reino Unido que ya hoy parecen encaminados a cumplir con Kioto, mientras que Italia y Grecia serán sancionadas por la Comisión por no haber presentado ni siquiera planes nacionales. A España no se la sancionará porque, aunque con retraso, ha presentado su plan (que evaluarán en Bruselas) antes de finalizar el pasado mes de julio. De todos modos, el conjunto de la Unión Europea ha reducido un poco sus emisiones en los últimos años, aunque, curiosamente, una de las razones que lo explican es que, como hace más calor, se consume menos energía en calefacción (pero bastante más, al menos en el sur, en aire acondicionado en verano).

—¿*Qué argumentos utilizan los países que no quieren ratificar el Protocolo, particularmente Estados Unidos?¿Qué aducen esos señores, que sea me-*

dianamente razonable, para justificar el poner en pe-
ligro el futuro del mundo?

—Los argumentos han ido variando con el tiempo y aún siguen haciéndolo. Al principio se decía que el cambio climático era una falacia y «el mayor engaño de todos los tiempos». Más tarde se afirmó que el calentamiento del mundo parecía cierto, pero que no estaban claras las causas y, en consecuencia, no había suficiente certeza como para obligar al país a hacer sacrificios. Enfáticamente, algunos han dicho también que el Protocolo supone un atentado contra la libertad, la democracia y la libre competencia, emblemas todos muy americanos. Quizás el argumento más sólido, aunque sea poco solidario, se refiere al impacto de la ratificación del Protocolo sobre los balances económicos a corto plazo de las empresas yanquis, en especial de las relacionadas con el petróleo. Así, hay quien dice que el coste económico y social de cumplir con Kioto será mayor, probablemente, que el resultante de afrontar las consecuencias del calentamiento general, y que por tanto es preferible «esperar y ver». A veces también se utiliza otro soniquete, particularmente irritante por lo que tiene de injusto, según el cual o reducimos las emisiones todos, los países pobres y los ricos, o no tendría por qué hacerlo ninguno.

—*Pero imagino que las diferencias entre las emisiones de los países industrializados y las de los que no lo están serán enormes.*

—Las diferencias se refieren, sobre todo, a la cantidad de gases nocivos emitida por habitante. Dicho de otra manera, cada persona acomodada, cada uno de nosotros, contamina mucho más que un habitante de Asia o África, al margen de que ellos sean más numerosos. Sin ir más lejos, Estados Unidos, que no llega al cinco por ciento de la población mundial, emite más del veinticinco por ciento de los gases de invernadero. La Unión Europea, antes de su reciente ampliación, producía el quince por ciento de las emisiones totales. En promedio, cada americano emite anualmente a la atmósfera el equivalente a unas veintitrés toneladas de dióxido de carbono, mientras que cada europeo rondamos las once toneladas y en muchos países del que antes llamábamos Tercer Mundo no se llega a las dos toneladas. Cada habitante de China o la India, entonces, emite muchísimo menos que un europeo, y no digamos ya que un americano, pero como los chinos y los indios son tantos, la cantidad de emisiones brutas de China sólo está por detrás de la americana, mientras que la de la India se sitúa en el quinto o sexto puesto. Una vez más, por tanto, se superponen los dos factores que están asociados de forma permanente e indisoluble al impacto de la humanidad sobre el ambiente: de un lado, el derroche de los más ricos, y de otro, el enorme tamaño de la población mundial. Incluso si consumieran, en promedio, mucho menos que hoy, los nueve mil millones de hombres y mujeres que poblarán la Tierra hacia el año 2050 la someterán, inevitablemente, a un enorme estrés.

En todo caso, tanto la concentración actual de CO_2 en la atmósfera como sus consecuencias (que, como sabemos, persistirán mucho tiempo aunque reduzcamos a cero las emisiones), son debidas casi exclusivamente a la revolución industrial y a la deforestación en el hemisferio norte. Como afirmaban los gobernantes de Tuvalu, los países pobres del sur no se han beneficiado económica y socialmente de estos cambios y sí que sufren, en cambio, sus efectos negativos. Estamos en deuda con ellos, por tanto, lo que vincula la problemática ambiental con la exclusión, la pobreza, la inmigración y, en definitiva, la solidaridad.

—*Como ocurre siempre, los pobres llevan la peor parte. Volveremos sobre eso. Pero aclárame una cosa. Cuando afirmas que España no cumple supongo que estás acusándonos a los españoles, a personas y organismos concretos, pues en último término quienes contaminan no son los gobiernos ni las leyes que dictan los parlamentos. En ese sentido, me parece inconcebible que tú o yo, o cualquier otro europeo medio, enviemos cada año a la atmósfera once mil kilos de dióxido de carbono. ¿No estarás equivocado? ¿De dónde sale ese CO_2? ¡Desde luego, yo no soy consciente de emitirlo!*

—Supongo que esa inconsciencia, que compartimos casi todos, es una parte sobresaliente del problema. Porque he de confesarte que yo también me sorprendí al saberlo y, como te ocurre a ti, la gente me mira escéptica cuando cito la cifra en las conferencias. Se estima que algo menos del treinta por ciento de la emisión de CO_2 en España corresponde a la producción y distribución de energía eléctrica, es decir que cada vez que encendemos la televisión o el aire acondicionado, por no hablar de la iluminación nocturna y los anuncios luminosos de nuestras ciudades, estamos colaborando en la liberación de gases que originan calentamiento. Cerca de la cuarta parte lo producen las industrias del petróleo, el cemento, la siderurgia, la cerámica y el vidrio, las químicas, el papel, etc., de manera que también emitimos dióxido de carbono al construir la segunda residencia, comprando un coche, perfumándonos e incluso editando libros y periódicos. El sector del transporte es responsable de casi otro veinticinco por ciento de las emisiones, así que nuestros desplazamientos diarios al trabajo, los atascos del fin de semana en las carreteras y, por ejemplo, la adquisición de bienes producidos lejos de nuestro domicilio, también colaboran lo suyo (un coche normal emite unos ciento setenta gramos de dióxido de carbono por kilómetro recorrido, aunque cada vez se fabrican modelos más limpios). Cerca de un once por ciento debe corresponder a la agricultura, la ganadería y los cambios de uso del suelo, de modo que producimos dióxido de carbono cada vez que destruimos un paisaje natural para plantar fresas, urbanizar el terreno o construir una autopista. Además, una cantidad no despreciable de las emisiones es consecuencia de las calefacciones y otros procesos que se han llamado «difusos».

Ilustraciones

1. Bosque otoñal. Como resultado del calentamiento de la Tierra, las hojas de los árboles brotan antes en primavera y tardan más en caer en otoño.

2. Fábricas de acero en Magnitogorsk, Rusia. Los procesos industriales, con el tráfico y la producción de energía, son responsables de la emisión a la atmósfera de buena parte de los gases de efecto invernadero.

3. La Ciudad de México, densamente poblada, tiene uno de los niveles de contaminación más altos del mundo.

4. Rebaño de ovejas en Patagonia, cerca del Polo Sur, amenazadas por la tenuidad de la capa de ozono.

5. Glaciares en Alaska. Gran parte del agua dulce del mundo está congelada en las regiones polares, que han comenzado a derretirse a consecuencia del cambio climático.

6. El desierto avanza en el Planeta de manera inexorable. Cada año se vuelve yerma una superficie mayor que Aragón, unos cincuenta mil kilómetros cuadrados.

7. Barco varado muy lejos de la orilla del mar de Aral. Como resultado del abuso de las aguas fluviales, este mar interior se seca. Ha perdido la mitad de su extensión y dos terceras partes de su volumen.

8. El huracán Jeanne a su paso por Florida, en 2004. Los fenómenos climáticos extremos, como sequías, huracanes y olas de frío y de calor, aumentan cada año en frecuencia e intensidad.

9. La isla Fonfagale, del archipiélago de Tuvalu, se desdibuja en el océano Pacífico. El ascenso del nivel del mar amenaza con hacerlo desaparecer bajo las aguas en poco tiempo.

10. Molinos generadores de energía eólica en Zaragoza. Las energías renovables basadas en el sol, el viento, el agua y la biomasa deben potenciarse, minimizando en lo posible los impactos sobre el paisaje y sobre los ecosistemas.

11. Selva en Costa Rica. La mayor biodiversidad del mundo se halla en los bosques tropicales.

12. Deforestación en Malasia. Cada año se destruyen en el mundo quince millones de hectáreas de bosque tropical, el equivalente a cuarenta campos de fútbol por minuto. La deforestación repercute en el clima global y es una de las causas principales de la pérdida de biodiversidad.

13. La imagen de la Tierra flotando en el espacio da idea de su indefensión. Debemos extremar nuestro ingenio y nuestra prudencia para evitar desguazarla.

14. Escolares chinas se protegen de las nubes de arena y de la contaminación urbana por medio de mascarillas.

15. Gigantesco atasco de tráfico en las afueras de Los Ángeles. Modificar el sistema de transporte es responsabilidad de todos y algo que urge en el mundo.

16. Río Tombopata, en Perú. El agua dulce es escasa y está mal repartida. En la cuenca amazónica, a la que pertenece el río Tombopata, se concentra la quinta parte del agua dulce disponible en el mundo, pero solamente vive una fracción minúscula de la población.

17. Niñitos del poblado de El Salvador, en el departamento de La Libertad, Perú, sonríen esperanzados. ¿Qué clase de mundo vamos a dejarles?

También debemos tener presente que, aunque el CO_2 es el gas más extendido de entre los que hablamos, hay otros con efectos parecidos, y su impacto suele medirse en el equivalente al de toneladas de dióxido de carbono. Por ejemplo, es importante el metano, cuyas emisiones no son tan fáciles de reducir. Se libera metano al perderse en las conducciones de gas, por ejemplo, y eso puede corregirse, pero mucho de este gas es producido de forma natural, cuando hay poco oxígeno, en las tablas donde se cultiva el arroz, que tanta gente necesita para vivir, y también se libera en grandes cantidades a la atmósfera a través de las flatulencias y ventosidades de las vacas, ovejas, cabras y otros animales herbívoros, incluidas, sorpréndete, las termitas. Hay tantas termitas en el mundo que el metano que producen en su aparato digestivo y liberan en la atmósfera afecta al clima general. Naturalmente, reducir las emisiones de metano es bastante más difícil que rebajar las de dióxido de carbono.

—*Los entresijos del mundo son, al menos, curiosos. Recientemente leía que hay complicadas negociaciones para comprar y vender derechos de emisión o para lograr permisos para emitir más a cambio de plantar árboles. Como los soldados de cuota antaño, vamos. Da la impresión de que algunas empresas y ciertos países ricos no quieren hacer los deberes y pretenden conseguir que otros los hagan por ellos a cambio de dinero, en la manifestación más humillante del capitalismo.*

—Esas discusiones también han pesado lo suyo a la hora de retrasar (o impedir) la ratificación del Protocolo de Kioto por parte de distintos países. Leyendo los debates, a veces da la impresión de que lo que algunos pretendían era marear la perdiz y retrasar el momento de tomar decisiones difíciles. Pero, efectivamente, en el acuerdo de Kioto se contemplan distintos mecanismos de flexibilidad para compensar reducciones de CO_2 no realizadas. Por ejemplo, puesto que los bosques absorben CO_2 (por eso se les llama «sumideros» de carbono) se admite que cierto nivel de reforestación podría justificar la autorización de una mayor tasa de emisión por parte de las industrias de algún país. Sin embargo, no se contempla el caso de los incendios forestales, desgraciadamente tan de moda, que tienen el efecto contrario; dado que devuelven mucho carbono a la atmósfera deberían, en buena lógica, contabilizar, pero restando a las tasas asignadas. Otros mecanismos para flexibilizar son llamados de «desarrollo limpio» y de «aplicación conjunta» y suponen que los países desarrollados puedan aumentar algo el total de sus emisiones si ayudan a la implantación de tecnologías limpias en países en desarrollo, o a la modernización de industrias muy contaminantes en países del antiguo bloque soviético. Y queda, por fin, el asunto del comercio de derechos de emisión, al que te has referido, según el cual los países y las empresas que se excedan en la producción de gases de efecto invernadero pueden pagar por ese exceso a otros que se hayan quedado cortos. Aún no se sabe el precio al que podría cobrarse en el mercado internacional la venta del derecho a emitir una tonelada de CO_2, pero se supone que puede ser de alrededor de diez dólares, o de ahí para arriba. A manera de comparación, la Unión Europea impondrá a los países miembros una multa de cuarenta euros por cada tonelada de dióxido de carbono emitida de más con respecto a los planes del periodo 2005-2007, y de cien euros a partir del periodo 2008-2012. Lo que es innegable es que los gases contaminantes serán cada vez más, al menos en Europa, un asunto tan importante para los financieros y los economistas como para la gente preocupada por la salud del mundo.

—Por lo que veo hay mucho cabo suelto de origen muy distinto. La cosa se complica. Me parece dificilísimo ver con claridad lo que podríamos y deberíamos hacer.

—No es sencillo, pues aunque con frecuencia las soluciones parezcan claras, se enturbian al mezclarse con innegables problemas sociales y económicos. Por ejemplo, es indiscutible que el carbón no es una fuente saludable de energía, pues entre otros perjuicios su combustión da lugar a la producción de mucho CO_2, pero prescindir del carbón generará un gran conflicto social en la minería. En otros casos, tal vez las dificultades podrían asumirse, pero hay empresas que antes que disminuir sus beneficios amenazan con trasladar las fábricas a paí-

Energías
alternativas

ses más permisivos. En todo caso, como ciudadanos debemos tomar conciencia del problema, mantenernos bien informados y asociarnos para exigir a nuestros gobiernos que favorezcan las medidas que contribuyen a reducir el calentamiento mundial, aunque eso suponga tener que sacrificarnos un poco o pagar algo más. Por ejemplo, hay que apoyar el uso de las energías renovables (eólica, solar, de biomasa, minicentrales hidroeléctricas...), mejorar la eficiencia energética en todos los procesos industriales, favorecer el transporte público en perjuicio del privado, incentivar fiscalmente a quienes disminuyan las emisiones (y, al revés, gravar a quienes las aumenten), etc. Debería resultarnos muy muy caro mantener nuestras casas en invierno a más de 25 ºC (cuando a 21 ºC y con un jersey se puede estar tan a gusto) y otro tanto enfriarlas demasiado en verano. Pero también tendría que ser obligatorio construir viviendas mejor aisladas, que requieran menos calefacción y menos aire acondicionado, aunque sean más caras, y que estén dotadas de paneles solares para calentar el agua. Y nosotros, las mujeres y los hombres demócratas de a pie, deberíamos escoger a los gobiernos que apoyan estos planteamientos, comprar los productos de las empresas que asumen estas normativas, evitar cualquier gasto superfluo de electricidad, andar más a pie o en bicicleta, usar transportes públicos, separar y reciclar las basuras, unirnos a otros que piensen como nosotros a la hora de reclamar, etc. Por supuesto, también hemos de ser, colectiva e individualmente, más solidarios con los que menos tienen y a los que, sin ellos comerlo ni beberlo, hemos metido en un callejón de difícil salida con nuestro modelo de desarrollo.

—*Realmente, los argumentos a favor del uso de energías limpias parecen abrumadores. Sin embargo, los propios ecologistas ponen el grito en el cielo cuando se instalan molinos eólicos, que matan a las aves y afean el paisaje (aunque sobre gustos no hay nada escrito; no te oculto que a mí no me desagrada ver las lomas de Sedano decoradas por esas orlas de molinos), y nada te quiero contar si se saca a colación la energía nuclear. Precisamente he oído que Gorbachov, el antiguo presidente de la Unión Soviética, hacía mención de no sé qué famoso científico que preconizaba el uso de la energía nuclear como único remedio a corto plazo contra el calentamiento de la Tierra. ¿Cuál es tu opinión? ¡Espero que te mojes!*

—No puedo negarte que existe el riesgo de que, por evitar lo malo, caigamos en lo peor. Vamos, que a menudo no queda otro remedio que escoger entre distintas opciones negativas, aunque tratemos de evitar la más mala. Yo prefería el Pico Otero, nuestro punto de referencia en el páramo de La Lora, como era antes, sin una corona de molinos encima, pero reconozco sin ambages que la energía eólica, como la solar, se debe potenciar. Hay que conseguir que cada vez sea más importante. Admitido esto, habrá que buscar la mejor manera de lograrlo. Quiero decir que con frecuencia se nos exigen síes o noes incondicionales, y no debería ser de ese modo. «¿Aceptáis la necesidad de generadores eólicos? ¡Pues molinos en todas partes y a callar!» Tampoco es eso. Se pueden colocar donde afecten menos al paisaje (en principio, no me repugna la idea de líneas de generadores en el mar), se pueden detener cuando hay grandes migraciones de aves, o cuando la dirección del viento los vuelve peligrosos para la fauna... Un par de colegas de Doñana, Luis Barrios y Alejandro Rodríguez, que han estudiado el efecto sobre las aves de los molinos eólicos de Tarifa, en el Campo de Gibraltar, sugieren que un estudio cuidadoso de la ubicación de las torres, la dirección y la velocidad de los vientos dominantes y el comportamiento de los animales podría mitigar las pérdidas, que en su caso afectan sobre todo a buitres y cernícalos.

Lo de la energía nuclear es harina de otro costal. Ciertamente, es una energía alternativa a la de los combustibles fósiles, pero nadie, ni sus más acérrimos defensores, admite que sea una energía limpia. El motivo no radica tanto en los riesgos inmediatos (los partidarios arguyen, con razón, que el automóvil mata a muchísima más gente y nadie propone prohibirlo) como en que carecemos de una solución técnica para almacenar los residuos radiactivos, de larga vida y alta peligrosidad. Lo que algunos proponen, sin embargo, es que sea admitida como «energía de transición», para sustituir al petróleo hasta que las energías renovables (solar, eólica, mareal...), limpias de verdad, puedan satisfacer nuestras necesidades. No está nada claro que ésa sea una buena solución, entre otras cosas porque si ahora las empresas invierten a fondo en la energía nuclear tradicional, de fisión, sin duda descuidarán los esfuerzos por potenciar otras energías. Como ocurre con frecuencia, la solución provisional, de transición, puede transformarse en definitiva, al no haber apostado de veras por opciones diferentes. En ese caso, ¿qué hacemos con la basura radiactiva? Los defensores de la alternativa nuclear argumentan, de nuevo, que ya se está investigando para reducir el periodo de vida activa de los residuos (que ahora se cifra en decenas de miles de años) y que en último término se llegará a obtener energía nuclear limpia mediante la fusión de elementos ligeros, inocuos. Por su parte, los opositores aseguran que, además de peligrosa, la energía nuclear es ruinosa, y citan a la prestigiosa revista *Forbes* que la calificó como «el mayor fiasco en la historia económica norteamericana». De cualquier forma, aunque yo no entiendo mucho de este asunto, en la reunión internacional sobre el clima celebrada en Bonn en julio de 2001 se excluyó la energía nuclear de entre las opciones para combatir el cambio climático que podían recibir apoyo financiero en el marco del Protocolo de Kioto.

Además, déjame decirte otra cosa. En España, y sólo somos un reflejo de lo que ocurre en otras partes, el consumo de energía crece el doble que el nivel medio de renta y, por supuesto, muchísimo más deprisa que la población. ¿Por qué damos por hecho que es inevitable que las cosas sigan así? ¿Por qué, como te planteaba hablando del agua, no cambiamos nuestra manera de pensar y consideramos la posibilidad de consumir menos y más eficientemente, evitando así el riesgo nuclear?

—*Todo eso está muy bien, como dices, para España y otros países parecidos al nuestro. Pero, ¿cómo vas a pedirle a un pobre de Gabón que consuma menos, si no tiene donde caerse muerto?*

—Ahí me has pillado. Tienes toda la razón. Por mucho que uno se dé cuenta de que los problemas son mundiales, con frecuencia se le escapan propuestas que sólo tienen sentido en su entorno inmediato, y no pueden ni deben aplicarse más que en él. Es de justicia que los países pobres, que como hemos repetido apenas tienen responsabilidad en el calentamiento general, consuman cada vez más energía por habitante para intentar escapar de su sino. Pero la forma de producir esa energía no debería ser distinta de la que planteábamos para nosotros mismos. Ha de basarse en el sol, el viento, la biomasa, etc. Y ha de acumularse en forma de electricidad y sobre todo de hidrógeno, que muy probablemente será el combustible limpio del futuro (ya empieza a serlo, en cierta medida, por ejemplo en Islandia).

—*Estoy de acuerdo contigo y ya lo estaba en mi discurso de ingreso en la Academia, cuando critiqué el despilfarro y el abuso de la naturaleza por parte de unos pocos, mientras otros mueren de hambre. Pero me parece que esta charla se está prolongando en exceso y va llegando la hora de concluir...*

—Aguarda. Antes debo decirte algo sobre la pérdida de especies y poblaciones, lo que llamamos «crisis de la biodiversidad», que es uno de los aspectos más destacados de la problemática ambiental mundial. No olvides, además, que es mi tema de trabajo, el único que conozco de cerca. En los restantes asuntos, hasta ahora, he venido hablando de oído.

—*Pero ¿no crees que ante problemas tan graves como el calentamiento de la Tierra, la escasez de agua dulce o el agujero de ozono, la extinción de unas cuantas especies tal vez no resulte demasiado preocupante? Nuestros coetáneos pueden lamentar que desaparezcan los osos panda, pero una vez perdidos nadie va a echarlos de menos, y en cambio sí que sufrirán en sus carnes, cada día, la sed, la violencia de los tornados o la subida del nivel del mar.*

—Entenderlo así es comprensible desde una perspectiva humana, pero radicalmente equivocado. Supongamos que mientras volamos en un avión a once kilómetros de altura nos anuncian que está a punto de agotarse el combustible y que se han soltado algunos remaches del aparato. Probablemente la mayoría de los pasajeros se preocupará casi exclusiva-

Servicios ecosistémicos

105

mente de la primera información, pues quedarse sin queroseno en pleno vuelo parece un peligro inmediato e irreparable. Al fin y al cabo, pueden pensar, ¿qué nos importan en estos momentos dramáticos unas tuercas de más o de menos? Pero es una cuestión de plazos y de proporciones. Si las tuercas y los remaches que se sueltan son tantos que algunas piezas esenciales del aparato se caen o dejan de funcionar, llegará un momento en que la segunda amenaza será tan grave, o más, que la primera. Los animales, las plantas, los hongos y los microorganismos, todo eso que hoy se conoce con el nombre de biodiversidad, son como las tuercas y los tornillos de la maquinaria de la vida. Trillones de individuos de millones de especies, interactuando de múltiples maneras entre sí y con el soporte físico de la Tierra, hacen que las condiciones del Planeta sean favorables para la vida, de tal manera que su ausencia pone en peligro nuestra propia supervivencia. Aunque no te lo parezca, es un problema gravísimo.

—*Todo eso suena bien, la del avión es una buena metáfora, pero me pregunto hasta qué extremo se sustenta en datos científicos. ¿Es solamente bonito o también realista?*

—Para la humanidad, la importancia de los servicios que prestan los sistemas naturales es evidente. Por ejemplo, quítale al suelo los miles de bacterias, hongos, ácaros, insectos, gusanos, etc., que viven en cada centímetro cúbico y dejará de ser fértil, porque esos organismos son los que descomponen los residuos, en ocasiones nocivos, y los convierten en nutrientes para las plantas. Asimismo, el suelo vivo da soporte a la vegetación y actúa como una esponja reteniendo agua dulce, que más tarde mana en forma de fuentes y regatos. Si atentáramos contra las especies que vivifican el suelo, si las elimináramos, nos quedaría tan sólo una superficie yerma, tan inerte e improductiva como el cemento, sobre la que no podríamos vivir. También son animales, plantas y microorganismos los que depuran el agua dulce, absorbiendo y modificando los productos perjudiciales. Los bosques retienen el suelo disminuyendo el riesgo de avalanchas, mientras que los carrizos y las espadañas de lagunas y marjales frenan las aguas y evitan inundaciones... Un grupo de investigadores del que formaba parte mi amigo argentino José Paruelo estimó hace años el valor económico del conjunto de esos servicios entre el doble y el triple del producto global bruto, es decir de todo el dinero que se mueve en el mundo cada año.

—*Creo que deberías esforzarte por concretar un poco más esas utilidades, que tal como te explicas se me antojan llamativas pero un poco vagas. Por ejemplo, a casi todo el mundo le gustan los pájaros e incluso las mariposas, pero le desagradan las moscas y las hormigas. «A mí, si me quitas los insectos, me gusta el campo», se oye decir con frecuencia. Y en efecto, llegada la primavera el campo está hermoso, lo malo es que con las flores aparecen también las avispas.*

A mucha gente le molestan estos bichos y no comprende el afán de su conservación. ¿Puedes explicarme cuál es su importancia? ¿Para qué sirven los tábanos y los mosquitos en esa «maquinaria de la vida» que me has descrito?

—No es casual que donde hay flores también haya insectos. Ambos se necesitan, no pueden vivir separados. Las plantas y los insectos han evolucionado juntos desde hace cientos de millones de años, y si existen muchas especies de insectos es porque hay muchas especies de plantas y a la inversa. Eso supone que, una vez admitido que las plantas nos ayudan a vivir, por fuerza hemos de reconocer también la importancia de los insectos. ¿Cuál es su papel en la naturaleza? Desempeñan muchos papeles, pero uno de ellos, y no de los menores, es la polinización. Me centraré en ése. Los insectos que en los días tibios viajan de flor en flor, atraídos por su color, su olor y, en último extremo, por el néctar u otro alimento que esperan conseguir de ellas, transportan en su cuerpo de unas a otras el polen que debe fecundarlas. Hace más de tres siglos lo describió poéticamente Sor Juana Inés de la Cruz, al escribir: «Ayudando el uno al otro / con mutua correspondencia, / la abeja a la flor fecunda, / y ella a la abeja sustenta».

Los expertos han calculado que, del cuarto de millón de especies de plantas con flores que hay en el mundo, cerca del noventa por ciento necesitan los servicios de al menos un animal para ser polinizadas. Los pies de estas plantas que carezcan de ese mensajero en el momento oportuno no producirán frutos ni semillas. A mucha distancia de los animales está el viento, un polinizador mucho menos eficaz que, no obstante, es utilizado para la fecundación por veinte mil especies vegetales. Un estudio de la FAO presentado a finales del siglo xx consideró el caso de mil trescientas treinta especies de plantas de interés en la agricultura, y encontró que siete de cada diez necesitaban el transporte de polen de unas flores a otras (no se autofecundaban) y, de ellas, sólo el dos por ciento usaban el viento para hacerlo. Todas las restantes dependían para su fecundación exclusivamente de los animales.

En los trópicos, la variedad de animales que transportan polen es muy grande e incluye, por ejemplo, a pájaros como los colibríes y también, por raro que parezca, a más de un centenar de especies de murciélagos. En nuestras latitudes, sin embargo, la polinización es, sin discusión, una tarea de insectos. Muchos de esos insectos son himenópteros, el grupo que incluye a las abejas, las avispas y las hormigas, pero también hay muchísimos escarabajos, moscas, mariposas, etc. Gracias a que los insectos abundan en Sedano hasta el punto de llegar a ser molestos (ya sabes que mi hermana Camino defiende enérgicamente que todos los insectos, sin excepción, pican) podemos disfrutar de las ciruelas claudias y las manzanas reinetas.

—Y ¿no podríamos arreglarnos solamente con las abejas? Pican si las estorbamos, pero son limpias

y laboriosas. Quizás con ellas podríamos obviar otros animalitos y de paso viviríamos más tranquilos. Aunque me da la impresión de que todo está previsto...

—¡Previsto no es la palabra más adecuada! La verdad es que ignoramos tantas cosas de la biodiversidad (existen, tirando por lo bajo y sin contar a las bacterias, entre doce y más de treinta millones de especies, y sólo tenemos catalogadas a un millón y medio), que no podemos ni siquiera imaginar el papel de cada una de ellas en la dinámica de los sistemas vivos, y menos aún, por supuesto, insinuar si alguna es sustituible por otras y en su caso por cuáles. Por cierto, que de esa ignorancia se aprovechan hábilmente los antiambientalistas para negar el valor de la diversidad de los seres vivos y teorizar sobre la posibilidad, por ejemplo, de sustituir todos los bosques tropicales del mundo por eucaliptales, que ellos suponen más rentables.

Sin embargo, en el asunto que me planteas sí te puedo contestar: nuestras familiares abejas no valen para todo. De las más de mil plantas cultivadas cuya biología reproductora ha investigado la FAO, solamente el doce por ciento son polinizadas por abejas domésticas, mientras que más del ochenta por ciento lo son por himenópteros silvestres. Y el problema es que esas avispas y esos abejorros silvestres no viven en colmenas movilistas que se puedan trasladar de aquí para allá, sino que exigen ambientes bien conservados para subsistir. Es decir, que eliminando sotos y ribazos y abusando de los insecticidas ponemos en peligro la polinización de las plantas que más nos interesan.

En definitiva, por mucho que nos disgusten los zumbidos de las avispas y los picotazos de los tábanos, debemos mucho a los insectos, y no sólo por amor a las flores. En los años ochenta del siglo pasado se estimaba que la polinización por insectos, sólo en Estados Unidos, debía valorarse anualmente en más de nueve mil millones de dólares.

—Dispones de argumentos bastante convincentes, pero sigo sin ver claro que España o el mundo vayan a ser muy diferentes con o sin linces ibéricos, por ejemplo, por citar una especie que tan cara te resulta.

—Aunque no lo creas, el hecho de que haya o no linces sí que hace las cosas un poco distintas. Se ha comprobado, por ejemplo, que los linces matan a los zorros y otros depredadores, y como resultado allí donde viven linces hay más conejos y otras especies de caza menor, por referirme yo, ahora, a algo que para ti es muy cercano. De todos modos, los organismos vistosos y atractivos, como el lince o el gorila de montaña, son como los abanderados de un ejército en plena batalla: no son los que más luchan, pero sí que son muy importantes como emblemas. Si ni siquiera logramos mantener a salvo al abanderado, podemos dar la batalla por perdida. Cuando intentamos salvar de la extinción al lince ibérico es porque su destino está ligado al de otros centenares de miles de especies amenazadas, que trabajan sin saberlo, en conjunto con todas las demás, para que la Tierra sea el planeta vivo que es y, en consecuencia, nuestra especie pueda vivir en él. No se trata sólo, por tanto, de sentimentalismo o de buenas intenciones. Nuestro interés por conservar las especies amenazadas tiene unas sanas y poderosas raíces egoístas.

Crisis de la biodiversidad

—Un momento y perdona que te contradiga. Yo pienso que la desaparición de unos cuantos animales y plantas no puede afectar al funcionamiento de la naturaleza salvo, quizás, en algún mínimo detalle. ¡Imagino que para que fuera de otro modo tendrían que extinguirse muchísimas especies, como ocurrió cuando desaparecieron los dinosaurios!

—¡Es que eso es, precisamente, lo que ocurre! ¡Se están extinguiendo muchísimas especies! Seguramente tantas como entonces o puede que más. No podemos saber el número preciso, pues como te he dicho ignoramos cuántas especies hay, pero diferentes cálculos permiten estimar que se extinguen entre diez mil y cincuenta mil especies por año. Yo suelo citar a Edward Wilson, uno de los «inventores» de la palabra biodiversidad, que dice que anualmente desaparecen veintisiete mil especies, lo que supone setenta y dos diarias y tres cada hora. Aunque se trata de una aproximación grosera, es una cifra fácil de retener. Eso puede representar la pérdida, cada año, del uno por mil de todas las especies vivientes. A ese ritmo, en mil años no quedaría ninguna (incluidos nosotros). Y aunque diez siglos pueden parecer mucho tiempo, no es ni siquiera un suspiro a escala geológica, y desde luego mucho menos del plazo que necesitaron los dinosaurios, y todos sus desaparecidos acompañantes, para extinguirse al final de la Era Secundaria.

—Pero ¿a qué especies te refieres? ¿Cómo es posible que se extingan tres especies por hora? ¡No irás tú también a echar la culpa a los cazadores! ¡Buenos se van a poner con tus teorías!

—La verdad es que ahora, al menos en el mundo desarrollado, donde la caza es una actividad lúdica y económicamente rentable, las poblaciones animales cazables tienden a aumentar más que a disminuir. Capítulo aparte es que tales aumentos, como tú sabes mejor que yo, se fundamenten con frecuencia en prácticas censurables, como las repoblaciones con animales criados en granjas, híbridos o especies exóticas. Los cazadores extinguieron muchas especies en el pasado y, para sorpresa de muchos, en el pasado remoto, cuando parecían ser «buenos salvajes» que nunca habían roto un plato.

Allí donde iban llegando, los hombres y las mujeres liquidaban en poco tiempo la fauna cazable. Los primeros australianos conquistaron ese continente hace aproximadamente sesenta mil años, quizás menos, y transcurridos veinte mil habían acabado con prácticamente todas las especies de mamíferos y de aves de gran tamaño. En América del Norte ocurrió algo parecido, si no tan extremo, hace diez milenios, poco después de que invasores asiáticos accedieran al continente a través del entonces istmo de Bering. Los polinesios llegaron a Nueva Zelanda hace mil años y en los siguientes cuatrocientos terminaron con cientos de miles de moas, aves gigantescas de varias especies que en aquellas islas tenían el papel ecológico que en otras latitudes corresponde a los caballos y a los ciervos. En parecidas fechas, tal vez un poco antes, ocurrió lo mismo en Madagascar. Llegaron los primeros malgaches y decenas de extrañas especies que habían evolucionado en la isla se perdieron, entre ellas un pájaro enorme del que la leyenda decía que cazaba crías de elefante, y que aparece con el nombre de Ave Roc en la historia de *Simbad el marino*.

Pero no hace falta ir a lugares exóticos para encontrar ejemplos. Las islas del Mediterráneo fueron pobladas por los humanos hace entre cuatro y diez mil años. Pues bien, en poco tiempo desaparecieron especies exclusivas como los elefantes e hipopótamos enanos en Chipre o algunas musarañas y lirones tan grandes como conejos en Mallorca.

Los humanos del pasado obedecieron el mandato bíblico de «creced y multiplicaos» a costa de las especies que durante millones de años habían ocupado los ecosistemas recién colonizados. Lo mismo, ni más ni menos, que seguimos haciendo hoy, sólo que ahora en el conjunto del Globo.

—Dices que lo seguimos haciendo hoy, pero antes has manifestado que la caza no te parece, en la actualidad, un problema especialmente preocupante. ¿Sostienes, entonces, que son otras presiones de origen humano las que provocan las extinciones de las especies?

—Evidentemente. Un ecólogo llamado Brian Czech lo ha explicado con claridad y sencillez: «Cuando los recursos son limitados —viene a decir— lo que usan unos no pueden utilizarlo otros». Su análisis es tan simple como el propio enunciado: la Tierra dispone de unos recursos limitados (el espacio, el alimento que se puede producir, el agua dulce, etc.), así que lo que usemos los humanos no podrán utilizarlo las especies silvestres, que desaparecerán. ¿Recuerdas que lo hablamos a propósito de los salmones del Pas, encerrados en un río casi seco? Ya dijimos que en la actualidad hay en el mundo más de seis mil cuatrocientos millones de personas. Para mantener calientes y a cubierto, y dar de comer y beber a esta multitud, necesitamos ciudades, campos de cultivo, miles de millones de animales domésticos, pescar y cazar intensamente, desviar o secar ríos, talar bosques... Es cierto que unas pocas especies, las que se adaptan mejor a nuestra manera de vivir, como las ratas, los zorros y los gorriones, se ven beneficiadas, pero la inmensa mayoría sufren nuestra competencia en sus carnes.

De todos modos, la causa de fondo de la pérdida de la fauna y la flora, ese desplazamiento de otras especies por las abrumadoras exigencias de la nuestra, se manifiesta en forma de mecanismos concretos. Con frecuencia les llamamos «los cuatro jinetes del Apocalipsis de la pérdida de biodiversidad» y son la explotación excesiva, la destrucción y la fragmentación de los hábitats naturales, el impacto de las especies exóticas y las extinciones en cadena o por razones múltiples.

—*Los cuatro jinetes, así expuestos, no me dicen nada.*

—Descendamos al detalle. La explotación desmedida, cazar y pescar animales o cortar árboles por encima de su capacidad de recuperación, es el mecanismo de extinción más intuitivo, pues cualquiera entiende que no debe sacar del banco más dinero del que ingresa. En la actualidad este jinete ha perdido importancia, pero aún genera muchos problemas. Recordemos, por ejemplo, la crisis de las pesquerías en el Mediterráneo, la extinción comercial de los bancos de bacalao en Terranova, o el riesgo de desaparición de los tigres y las panteras de las nieves en Asia, sañudamente perseguidos por sus presuntas cualidades curativas en la medicina china.

Luego está el segundo jinete. La destrucción, modificación y fragmentación de los hábitats naturales es hoy, probablemente, la principal amenaza para muchas de las especies vivas. No en vano, con frecuencia la valoración de las tasas mundiales de extinción se basa en el ritmo con que se destruyen las selvas tropicales, que albergan los mayores contingentes de biodiversidad. Hace medio siglo los bosques maduros ocupaban unos cincuenta millones de kilómetros cuadrados en el mundo, de los que hoy hemos perdido cerca de la tercera parte; para Wilson se trata de «uno de los cambios ambientales más profundos y rápidos en la historia del Planeta». Además, por desgracia, no suele hacer falta eliminar el bosque por completo, sino que basta con parcelarlo para provocar fenómenos de extinción similares. Probablemente, en una mancha forestal de cien mil hectáreas podrán sobrevivir los osos, pero no lo harán en mil manchas de cien hectáreas, aunque la superficie total de bosque sea la misma en los dos casos.

La introducción de especies exóticas es el tercer jinete responsable de las extinciones. En este mundo globalizado (aunque te canse la palabra) cada vez es más fácil trasladarse de un lugar a otro, lo que hace inevitable que animales y plantas salten las barreras naturales de su distribución, ayudados voluntaria o involuntariamente por los humanos. El sueco Ebenhard calculó hace quince años que habían sido introducidas en distintos lugares del mundo al menos ciento dieciocho especies de mamíferos, y que la peor de todas ellas, la culpable de más extinciones, era el gato doméstico (recuerdo lo que te impresionó la historia del gato del farero: un solo ejemplar de gato, propiedad del farero, originó a finales del siglo XIX la extinción de un pajarito exclusivo de una isla de Nueva Zelanda). Para algunos estudiosos, la creciente e imparable introducción de especies plantea unos problemas para el futuro del mundo tan serios como las alteraciones en la composición de la atmósfera, a las que hemos dedicado tanta atención.

Por último, puesto que en la naturaleza todas las cosas están interrelacionadas, un cambio en los hábitats o la extinción de cualquier especie desequilibra las comunidades y acerca a la extinción a otras especies distintas. El caso es claro cuando, por ejemplo, desaparece la especie que poliniza a otra concreta, o cuando se extingue una especie de árbol del trópico a costa del cual vivían decenas de hongos e invertebrados. Pero con mucha frecuencia las relaciones son menos evidentes y los motivos de extinción esconden causas múltiples que se alimentan entre sí. Seguramente, este cuarto jinete es más común de lo que imaginamos y muy difícil de controlar.

Una sola crisis planetaria

—De lo que llevamos hablando deduzco que hay muchos puntos de contacto entre lo que dices de la extinción de especies y otros temas que han salido antes a relucir, como el cambio climático y la erosión del suelo.

—Exactamente. Has dado en el clavo. El cambio climático, por ejemplo, de un modo u otro tiene que ver con modificaciones en los paisajes, con la reducción del agua disponible, con el acceso de especies a lugares donde no existían, con pérdidas en la agricultura, que conllevan un aumento de la presión humana sobre la flora y la fauna silvestres... Todo ello está incrementando las tasas de extinción, hasta el punto de que a principios de 2004 se publicó un polémico estudio que anticipa la desaparición en los próximos cincuenta años de entre el dieciocho y el treinta y cinco por ciento de las especies del mundo debido al rápido calentamiento de la Tierra. Al mismo tiempo, la pérdida de bosques y praderas y de las especies que contienen exacerba el efecto invernadero... Seguramente todo lo que hemos venido hablando no sean sino manifestaciones parciales de una única crisis ambiental planetaria.

El ocaso de los anfibios, las ranas y los sapos, puede ser útil para ilustrar esta situación. Hace unos lustros se detectó, en un plazo breve, la desaparición de varias especies de anfibios en lugares del mundo muy distantes entre sí. En otras ocasiones no llegaron a extinguirse, pero casi, y especies extraordinariamente comunes se volvieron raras. ¿Por qué desaparecieron simultáneamente ranas y sapos que vivían en lugares y ambientes muy distintos? Hasta hoy no disponemos de una sola respuesta que satisfaga a todo el mundo, tal vez porque no puede haberla. Lo único claro es que todo un conjunto de factores está relacionado con la crisis mundial de los anfibios. Veamos: la radiación ultravioleta debida a la escasez de ozono, el calentamiento de la Tierra, que seca el ambiente y cambia los hábitats, la fertilización excesiva con abonos químicos, que afecta especialmente a los renacuajos... Todo ello debilita el sistema inmunitario de los anfibios, de manera que las enfermedades se extienden como hongos, y nunca mejor dicho: precisamente unos hongos llamados quitridios, que en Europa no se creían peligrosos para la fauna, han terminado prácticamente con los sapos parteros —los que transportan los huevos pegados al cuerpo— del parque natural de Peñalara, en la sierra de Guadarrama.

—*A pesar de todo, sigo en mis trece. Todo lo que anuncias, que representa una pérdida ecológica, es doloroso, lamentable, lo que quieras, pero no puede compararse la desaparición de especies digamos menores, o de segunda, con los gravísimos problemas que amenazan al futuro del mundo a corto plazo. Me parece que ambas cuestiones no pueden tutearse, son magnitudes distintas.*

—Lamento no haberte convencido. Sin duda me he explicado mal, pero para mí es muy importante que lo entiendas. Para empezar, no podemos hablar de especies menores o de segunda y, en el caso de que las hubiera, no sabemos cuáles son. ¿No recuerdas un día que íbamos a pescar al Najerilla y se nos paró el coche porque había una broza en el chiclé? Hasta que no nos enseñaron de qué minúsculo tubito se trataba, cómo había que sacarlo y que podíamos limpiarlo soplando un poco, bien hubiéramos podido pensar que se trataba de una pieza menor. ¡Y sin embargo todo el coche dejaba de funcionar por culpa del maldito chiclé! Con las especies silvestres pasa un poco lo mismo: nos pueden parecer carentes de importancia, pero no sabemos qué significan ni para qué sirven, incluso en el plano más directamente práctico. Por ejemplo, hasta que se descubrió ¿quién hubiera imaginado que la corteza del sauce escondía la aspirina, tan utilizada en todo el mundo?, ¿cuántos secretos útiles similares no se habrán perdido en especies ya desaparecidas o a punto de hacerlo?

Por otra parte, no es que sean cuestiones de distinto orden, sino que, como acabo de decirte, son diferentes manifestaciones de una sola y única crisis. Por ejemplo, te he comentado que muchas especies desaparecen porque se talan los bosques tropicales, pero también por eso llueve menos, aumenta el dióxido de carbono en la atmósfera, se pierde suelo fértil y progresa la desertización, se producen aluviones de lodo que sepultan pueblos enteros... Está demostrado que un mundo con menos especies es más vulnerable ante cambios como los derivados del calentamiento general. Te reitero que es todo el sistema vivo de la Tierra, esa maquinaria que llamamos biosfera, la que está desequilibrándose, y créeme si te digo que la pérdida acelerada de especies es una de sus manifestaciones más preocupantes, aunque a ti no te lo parezca.

A veces, pequeños hechos anuncian grandes catástrofes, así que no deberías desdeñar la desaparición de un hongo o de un escarabajo. Estábamos hablando de las ranas, ¿recuerdas? Antiguamente los mineros colgaban en la parte alta de las galerías una jaula con un canario. Cuando el canario dejaba de cantar, se ponía triste o, peor aún, se desvanecía, había que abandonar el tajo a toda prisa, porque una galería donde no vivía a gusto un pájaro no era saludable para un minero. A los conservacionistas nos gusta decir que todo el mundo es hoy la galería, los mineros somos la humanidad, y los anfibios, que hacen de canario, nos están advirtiendo de que no deberíamos estar muy tranquilos encerrados en un planeta donde las ranas no pueden vivir.

¡La muerte de la Tierra?

—*Creo que tienes razón. ¡Coincidimos en lo fundamental, así que no vamos a pelearnos a estas alturas, después de tantas horas juntos! Además, hemos quedado en que el experto eres tú y hay que darte crédito. En lugar de dedicar nuestro tiempo a distinguir entre problemas de primera y segunda categoría, más vale que antes de terminar hablemos un poco de cómo podemos salir de ésta, si es que se puede salir. Verás, ahora debo confesarte que cuando empecé, como jugando, sin darle importancia, a preguntarte sobre el clima, ya tenía la sensación, que no ha dejado de acompañarme en los últimos años, de que las cosas iban de mal en peor. Alguna vez he bromeado, incluso, con evidente humor negro, en que a este paso todavía tendría tiempo de ser testigo presencial del tránsito universal. Yo pensaba, antes de hablar contigo, que la Tierra se estaba suicidando, pero no sabía bien cómo pretendía hacerlo, si envenenada por un exceso de barbitúricos, indefensa por la pérdida total de la capa de ozono, agotados sus recursos, desangrada, con las venas rotas, por la ausencia de agua de sus ríos, o abrasada a lo bonzo por el calentamiento general. Todo lo veía posible. Hoy tengo la impresión de que puede morir, pero no creo que haya decidido aún el método de suicidarse. En otras palabras, me parece, por lo que te he oído, que no hay causas graves y leves, o al menos que no es fácil diferenciarlas. Lo que amenaza es un colapso general. Fallan muchas cosas, todas encadenadas entre sí. Unos desórdenes precipitan otros, como ocurre en el cuerpo de un enfermo terminal. Estoy por decir, incluso, aunque no pase de ser una imagen literaria, que el cambio climático no es más que la fiebre de un planeta enfermo. ¿Acabará muriendo la Tierra?, ¿se suicida?, ¿la matamos?, ¿o solamente aspiramos a ayudarle a bien morir?*

—Por favor, no me cerques. No quiero ser tan pesimista como tú, aunque reconozca que, a grandes rasgos, tienes razón. James Lovelock sostiene que la Tierra funciona como un superorganismo, al que llama *Gaia*, y no me extrañaría que se te hubiera adelantado con la metáfora de la fiebre, porque ha dicho cosas muy parecidas. Pero, fiel a su hipótesis, Lovelock piensa que la Tierra no morirá porque, como todo ser vivo, sabrá defenderse, y lo hará incluso de nuestra especie si proseguimos hostigándola. Así que ahí tienes una primera respuesta: la Tierra no se suicida; la estamos matando. Y la segunda es inmediata: no lo conseguiremos; a corto o medio plazo la vida en el Planeta no desaparecerá de ninguna manera. A lo peor desaparecemos nosotros, los humanos, o tendremos que cambiar nuestra manera de vivir, pero la Tierra no morirá.

La vida es más fuerte que nosotros y, por nuestro propio bien, sería bueno que lo tuviéramos claro. Los hombres necesitamos una cura de humildad. Necesitamos al resto de los seres vivos pero éstos, en cambio, no nos necesitan. Hay vida en este planeta desde hace más de tres mil millones de años, pero sólo en los últimos doscientos mil han existido hombres de nuestra especie. Defendiendo, contracorriente, que desde el punto de vista biológico los auténticos reyes de la creación son las omnipresentes bacterias, Stephen J. Gould escribió: «Dudo mucho que consigamos influir algún día de modo significativo en la diversidad bacteriana. No podemos bombardear, irradiar y relegar al olvido a las bacterias. No podemos ni siquiera hacer mella en ellas con alguno de los muchos y malignos dispositivos que somos capaces de concebir». Así pues, no pienses en una Tierra muerta. En el peor de los casos, ¡siempre nos quedarán las bacterias!

—¡Pero eso no me vale! Yo no puedo imaginar un mundo deshabitado, sin gente. Cuando yo te hablo de la muerte de la Tierra estoy refiriéndome, de alguna manera, a la desaparición de la humanidad. En Un mundo que agoniza *yo mismo citaba a Frederic Uhlman, un autor francés, creo recordar, para preguntarme qué interés tenían los pájaros o las montañas si no había nadie capaz de darles nombre y, en*

consecuencia, vida... ¡La Tierra no tiene sentido sino en su relación con el hombre!

—Es una afirmación polémica, pero creo que, en el fondo, todos estamos de acuerdo. ¿Para qué conservar esto o lo otro si nadie puede valorarlo, echarlo de menos cuando falte? En realidad, la mayor parte de los conservacionistas luchamos por un planeta humano, en el sentido más inmediato de la expresión. Por un planeta donde nuestra especie tenga su lugar bajo el Sol.

—*Yo dije una vez que el progreso (en general) tiende a calentar el estómago del hombre pero enfría su corazón. El escritor norteamericano Norman Mailer ha ido más lejos. Para él es muy posible que la tecnología (la de hoy, la que venimos usando a diario) acabe con la humanidad, acabe por ser mortal para ella. Parece llegada la hora de preguntarnos si no será el XXI el último siglo antes de que nuestra presencia en la Tierra toque a su fin. ¿Has leído en alguna parte una interpretación tan radicalmente negativa del progreso como la enunciada por Mailer quien, por otra parte, tiene un enorme talento y un gran ascendiente sobre los intelectuales?*

—Te contestaré con una historia. Un «suicidio terráqueo» parecido al que tú crees intuir se dio ya, aquí mismo, hace entre mil y dos mil millones de años. Entonces apenas había oxígeno en el agua y en la atmósfera y, por tanto, tampoco seres vivos que lo respiraran. Los organismos vivían sin él, eran lo que los biólogos llamamos ahora «seres anaerobios». Pero resultó que algunos (en aquella época, ciertas algas microscópicas y algunas bacterias; luego lo harían también las plantas) aprendieron a usar el CO_2 y el agua para quedarse con el carbono y el hidrógeno y liberar oxígeno como producto de desecho (es la fotosíntesis; creo que ya te lo he contado, a propósito del ozono). Desde nuestro punto de vista ese oxígeno era, incluso para algunos de los seres que lo producían, un peligro, pues no podrían vivir en un mundo en el que llegara a ser demasiado abundante. Y eso es, precisamente, lo que ocurrió. Llegó un momento en el que hubo tanto oxígeno en la atmósfera que las bacterias anaerobias, antes dominantes, quedaron arrinconadas, restringidas a lugares recónditos (por ejemplo, el sedimento del fondo profundo de los lagos) adonde no llegaba el producto de esa contaminación.

Imagina por un momento, haciendo un ejercicio de ciencia ficción, que alguno de aquellos seres anaerobios se hubiera dado cuenta de lo que estaba ocurriendo. En ese caso, como hizo Mario Molina con los CFC y el ozono, habría advertido a los demás: «Ojo con seguir mandando oxígeno a la atmósfera o acabaremos matando a la Tierra». Pero era su Tierra la que estaban matando, la Tierra de los que vivían sin oxígeno, no la tuya y la mía. Mirándolo con la perspectiva que dan miles de millones de años, de ninguna manera podemos pensar hoy que aquella «muerte», nunca anunciada, fuera mala para el Planeta, ya que gracias a ella estamos nosotros aquí.

Yo encuentro dos mensajes claros en esta historia. El primero es que, si no matar a la Tierra, sí ha ocurrido ya que algunos organismos la transformaran de tal manera que después fue difícil para sus antiguos pobladores seguir ocupándola. El segundo es que aquellas algas y bacterias que, a base de liberar oxígeno, deterioraron su mundo, no podían darse cuenta de lo que hacían, ni medir los efectos de su actividad, ni hacerlo saber a los demás, ni cambiarlo. En otras palabras, no estaban en condiciones de evitar la crisis, cosa que nosotros, gracias al mismo conocimiento que nos permite progresar, sí que podemos hacer. Partimos, por tanto, con una enorme ventaja.

Contaminar la Tierra provocando una catástrofe ambiental de dimensiones globales no requiere progreso. Hace dos mil millones de años lo hicieron aquellos seres primitivos. Evitar que vuelva a ocurrir, en cambio, sí que exige progresar, aunque por fuerza deba ser un progreso del tipo que tú llamaste «estabilizador y humano». Así pues, en mi opinión la cuestión no es tanto que la humanidad haya avanzado en exceso sino, tal vez, que ha avanzado poco. Como escribió León Felipe, el barro del que estamos hechos «no está bien cocido todavía».

—Pero si sabemos lo que ocurre, si lo estamos midiendo, calculando, ¿por qué no avanzamos un poco más para evitarlo? ¿Qué es lo que nos impide reaccionar como el Homo sapiens *que parece que somos?*

¿Acaso estamos condenados a repetir el error de las bacterias anaerobias que me has contado, con el agravante de que ahora lo haremos con plena conciencia?

—Pienso que sí que se hacen cosas importantes y es necesario decirlo. La evidente torpeza para hacer ver que no todo es negativo, que se mejora en algunos aspectos, me parece un fallo grave de nuestro mensaje, del mensaje de los conservacionistas. La dificultad surge, tal vez, porque cuando un problema se soluciona, o se suaviza, pierde interés, deja de ser objeto de denuncia. ¿Recuerdas cuando me preguntaste por qué en los últimos años se hablaba menos del agujero de ozono? Simplemente porque estaba en vías de solución. ¡Además, de una forma espectacularmente rápida y efectiva, de las que animan a continuar en esta lucha por un mundo mejor! ¡Habría que contarlo más a menudo! ¿Y qué me dices de Londres bajo el *smog*, que tan adecuadamente ambientaba las películas policíacas? Hablábamos de él cuando mataba a cientos de personas al año, pero ¿quién se acuerda ahora, cuando ha pasado a la historia? Con la contaminación de los ríos ocurre algo parecido. En Europa hay en estos momentos más nutrias que hace treinta años, seguramente debido a la prohibición del DDT y a la disminución del uso de otros contaminantes, pero ¿quién lo comenta? Es mucho más frecuente oír hablar de que aún se produce, comercializa y utiliza ilegalmente DDT en la propia España, que de los buenos resultados obtenidos con su prohibición.

Creo que hablar en exceso de catástrofes ambientales aviva la inacción y el fatalismo. El hombre tiende a dormirse si cree que de nada valen sus desvelos. En conjunto, el mundo tiene hoy más problemas ambientales que nunca, porque cada vez somos más personas, cada vez consumimos más y cada vez utilizamos tecnologías más agresivas. Eso es evidente. Pero también lo es que jamás antes se había dedicado al asunto tanta atención. Esto, me parece a mí, ya es algo. Hace poco más de treinta años, en 1972, la Conferencia de Estocolmo sobre el Medio Ambiente Humano apenas despertó otro interés que el de los especialistas. Creo recordar que entonces se pidió una segunda conferencia que nunca llegó a celebrarse. Sólo veinte años más tarde, sin embargo, representantes de más de ciento setenta países, casi todos ellos del más alto nivel político, acudieron a Río convocados por la Cumbre de la Tierra. También allí se pidió una continuación, en este caso con éxito: en 2002 se celebró en Johannesburgo la Cumbre Río+10...

—Se diría que vamos bien, pero perdona que te interrumpa. Tú has estado en alguna Cumbre. ¿Qué opinión te merecen? ¿No te parecen nuestros acuerdos y pretenciosas reuniones internacionales pequeños parches para grandes reventones? ¿Tienen algo que hacer ante la crisis ambiental estos parches ocasionales o son más bien fórmulas para tranquilizar nuestras conciencias, mientras la vida sigue?

Cumbres internacionales

—Desde luego, las grandes Cumbres (Río, Johannesburgo) han dado de sí menos de lo que esperábamos, pero sin duda mucho más que si no se hubiesen celebrado. Defiendo, por tanto, la utilidad de estas reuniones, incluso aunque sirvieran sólo como símbolos, como mensajes a la ciudadanía de que los problemas ambientales son serios, están ahí y tenemos que darles importancia. Precisamente por eso fue muy negativo que el presidente de Estados Unidos, el país más poderoso de la Tierra, el que más consume, el que más contamina, el que hace más y mejor investigación, se negara a asistir en persona a la Cumbre de Johannesburgo. ¿Qué idea estaba transmitiendo con ese gesto? Era como decirnos a los seis mil millones largos de habitantes del Globo: «No seáis necios. Los problemas ambientales no son tan graves como os dicen; por eso, yo no voy a Johannesburgo ni pienso actuar radicalmente para solucionarlos; además, sé lo que me digo, pues para eso dispongo de los mejores científicos del mundo» (luego se supo que un importante *lobby* petrolero había felicitado a Bush por no acudir en persona a la Cumbre, ya que, en su opinión, en la reunión predominaban los programas «anti-libertad, anti-humanidad, anti-globalización y anti-Occidente»; anti-todo, vamos).

—*Una vergüenza. Pero ¿qué podía esperarse? El poderoso siempre tiene las de ganar, eso no hemos conseguido modificarlo todavía. Y si eso es lo que nos traen las Cumbres, ¿me quieres decir cómo va mos a encontrar en ellas una solución para el gran problema?*

—Mira, no. Cuestión distinta es que las grandes conferencias que tú consideras pretenciosas solucionen algunos problemas. En realidad, allí se va con los deberes ya hechos, o bien se dejan por hacer. Las Cumbres son más bien escaparates donde se muestran las intenciones, se exhibe todo lo que se ha trabajado antes y se plantean las obligaciones que hay que resolver después. Y también son casinillos para charlar y convencerse unos a otros. En Río, por ejemplo, el ponente que despertó mayor curiosidad fue Fidel Castro. ¿Qué te parece? Cuando le correspondió hablar no cabía un alfiler en la sala de plenos, hasta los pasillos estaban abarrotados, todos nos las habíamos arreglado para conseguir una invitación. Se había producido ya la crisis de la Unión Soviética y Fidel parecía más solo que la una. Recuerdo que, sorprendido por la acogida y los deseos de verlo (mucho mayores que el interés por el contenido de su intervención), quise imaginar entonces que de alguna manera reflejaban el aprecio colectivo por la diferencia, el deseo de un mundo que funcionara de otra manera, aunque no fuera la manera de Fidel. Quizás era una expresión muda del anhelo convertido en lema diez años más tarde, y tan reiterado aún hoy: «Otro mundo es posible».

—*Pues no sé si abrió la puerta a un mundo distinto, pero yo entiendo que de Río salió un bienin-*

tencionado programa que todavía se está intentando poner en marcha. Porque ése es otro asunto, y no baladí. Mi impresión es que en las Cumbres se aprueban muchas cosas que no son sino expresiones de buenos deseos. Luego hay que trabajar mucho, darles muchas vueltas, hasta que sale algo concreto. ¿No estás de acuerdo con lo que digo?

—Hombre, sí. Mira, hace dos años, en Johannesburgo, por ejemplo, se aprobaron cosas tan juiciosas como recuperar antes de 2015, «allí donde sea posible», los caladeros pesqueros agotados. Pero, ¿cómo vamos a hacerlo? Es cierto que se menciona la necesidad de establecer una red de reservas marinas antes de 2012, mas no quién, o quiénes, deben renunciar a seguir pescando, ni si serán o no compensados de algún modo, ni cuándo o cómo se establecerán las oportunas limitaciones. Sin duda, todas esas cuestiones, que hay que discutir luego, son mucho más complicadas que la mera declaración, que cualquiera de nosotros aplaudiría sin reservas, de devolver vida y aliento a los bancos esquilmados.

Claro que tenemos una demostración aún más cercana. En la Cumbre de Río se aprobó, con la firma de casi todos los países asistentes, el Convenio sobre el Cambio Climático. Se trataba de unas líneas generales de actuación que habrían de concretarse cuanto antes en un acuerdo detallado. Fueron necesarios cinco años para redactarlo y así nació el Protocolo de Kioto, del que tanto hemos hablado. Pero hoy, a los siete años de Kioto y doce después de Río, al Protocolo aún le faltan unos meses para estar vigente. La demora, ahí es donde veo yo más problemas. Utilizando tu símil, en las grandes Cumbres ambientales se repasan los reventones y se decide qué parches hay que poner para que la cosa no vaya a más. Pero luego pasa el tiempo y, con frecuencia, ni siquiera esos parches ineludibles han sido colocados.

—*Me estás dando la razón, entonces. ¿Tú ves en esos acuerdos verdadera voluntad de solucionar el problema ambiental o el viejo truquito de hacer que se hace para no hacer nada? ¿Tú crees que los gobernantes del mundo son sinceros de cara al futuro de la Tierra o están dando largas al asunto?*

—Me pones en un brete. Tus preguntas van escapando del ámbito más o menos científico y me fuerzan a entrar de lleno en el terreno de las opiniones. ¿Qué te puedo decir? Quizás porque tengo una cierta propensión a ver la viga en mi ojo antes que buscar la paja en el ajeno, raras veces me apunto a denostar por sistema a los políticos. El trabajo de los políticos me parece difícil y creo, además, que los gobernantes democráticos, por la cuenta que les tiene, se mueven casi siempre en la dirección que estiman preferida por la mayor parte de la población (la participación de España en la guerra de Irak supuso, a este respecto, una excepción clamorosa). Desde este punto de vista, por tanto, me parece que los ciudadanos tenemos una elevada responsabili-

Responsabilidad compartida

133

dad y con frecuencia nos resistimos a aceptar los cambios necesarios.

—*¿A qué cambios te refieres?*

—Pongamos el uso del automóvil como caso típico, aunque podríamos citar miles. ¿Qué solemos hacer los conductores cuando no podemos aparcar o se forman grandes atascos? Apenas nadie reacciona diciendo: «No vuelvo a usar el coche; viajaré en tren y usaré más la bicicleta por la ciudad». La mayoría exigimos más aparcamientos subterráneos, nuevas carreteras, desdobles, circunvalaciones... demandamos la M-30, y enseguida la M-40, y luego la M-45, y la M-50, y ya andamos pensando en otras emes; añadimos autopistas de peaje paralelas a las no tan viejas autovías ordinarias, ya congestionadas... En mi ciudad, en Sevilla, que tanto se presta a los desplazamientos ciclistas, siento como si hubiéramos bajado los brazos ante los coches. En una calle aledaña a la mía se ha reducido la anchura de la acera y se han quitado los árboles para que puedan aparcar más coches. La vía de circulación ha quedado tan estrecha que los automóviles no pueden adelantarme cuando vuelvo de trabajar en bici y me pitan nerviosos. Los vehículos circulan ya (dicen que provisionalmente) por el interior del Parque de María Luisa, donde apenas es cómodo correr o pasear... En una palabra, tratando de solucionarlo se engorda el problema. En todas partes se incentiva la compra de coches, todos nos preocupamos si las ventas disminuyen (porque eso supone que la economía va mal) y no sabríamos qué hacer si la mitad de las fábricas tuvieran que cerrar. Vivimos en la cultura del automóvil y apenas nadie busca fórmulas para salir de ella, sino maneras de afianzarla, de huir hacia delante. No queremos ver otra solución. Creo que eso no es culpa de los políticos, o al menos no sólo de ellos. Somos casi todos los que nos quejamos de que faltan autopistas y plazas de aparcamiento, en vez de quejarnos de que sobran coches.

—*¿No crees tú que los políticos tienen una responsabilidad aún mayor? La sociedad deposita en ellos su confianza y ellos deben responder con su liderazgo, tienen que marcar el camino, hacernos ver qué es lo mejor a medio plazo y cuándo nos estamos equivocando. Ésa es su obligación, y no sólo multar y vocear.*

—De acuerdo, de acuerdo. Es verdad que los políticos, preocupados por conservar sus votos, a veces se empecinan en el error y, lo que aún es peor, se empeñan en convencernos de que no existe tal error. Me acuerdo, por ejemplo, de la llamada «ecotasa turística», ese pequeño impuesto (un euro diario) que empezó a cobrarse a los visitantes de la costa balear para compensar el coste ambiental que suponía su presencia. Hay informes de muchos Premios Nobel de Economía que recomiendan, como una vía razonable para enderezar la situación, reducir los impuestos sobre el trabajo y gravar con tasas, sin embargo, las actividades que producen un impacto ambiental. Además, es una práctica educativa, pues enseña a la gente que los precios a que compramos «naturaleza» no representan con frecuencia los costes reales (un árbol vale mucho más que la madera que se paga por él). Un responsable público realmente preocupado por el futuro ambiental debería esforzarse por convencer a la sociedad de la importancia de la ecotasa y otros impuestos parecidos, pero en lugar de eso algunos políticos clamaron asegurando que supondría la ruina del sector turístico. ¡Por un euro diario! En resumen, esa ecotasa, que ciertamente no era perfecta (por ejemplo, sólo pagaban los usuarios de hoteles), se abolió y ahora la gente puede pensar que la destrucción del litoral no debe ser asunto muy grave, cuando los políticos no se deciden a cobrar ni siquiera un euro para restaurarlo. Claro que lo mismo que hablamos del litoral podríamos hacerlo del agua, que se regala o se vende a un precio irrisorio en relación con lo que vale. O de la gasolina... Hace unas semanas, en la playa, soporté durante casi una hora el molesto bramido de dos motos de agua que competían, haciendo cabriolas y levantando olas de espuma, muy cerca de los bañistas. Aparte de refunfuñar por el ruido infernal, pensaba todo el tiempo en nuestra conversación, en la tuya y la mía, y en la gasolina que los motoristas estaban consumiendo. Si de verdad se incluyeran en el precio del combustible los costes que provoca (en contaminación, ruido, salud pública, molestias, calentamiento terrestre, etc.), ¿cuánto valdría estar una hora haciendo monerías con una moto de agua?, ¿se divertiría mucha gente de esa manera, a sabiendas de su coste? A los políticos, en efecto, les corresponde orientar nuestros comportamientos utilizando el poder que hemos puesto en sus manos (por ejemplo, para dictar e imponer normas, tasas, incentivos, subsidios, sanciones...), aunque luego seamos nosotros los que tengamos la última palabra.

En definitiva, probablemente estemos inmersos en un círculo vicioso: los políticos no harán mucho si la sociedad no se lo exige por las bravas, y la sociedad no va a exigirlo de esta manera mientras los políticos muestren dudas y no apuesten con decisión por el camino correcto.

—*Tu reiteración en repartir culpabilidades no deja de parecerme un golpe bajo, pero bueno. Déjame que te repita la pregunta anterior referida ahora al conjunto de la sociedad, en lugar de limitarla a los gobernantes. Cuando se hacen encuestas, la gente asegura que, tras las preocupaciones más o menos coyunturales (paro, terrorismo), el medio ambiente es una de las cosas que más los desazona. ¿Crees que somos sinceros al afirmar eso o que se trata, simplemente, de una forma de lavar nuestras conciencias que no compromete a otra cosa? ¿Por qué no reaccionamos más activamente? ¿Por qué el pueblo no es más exigente con quienes nos gobiernan?*

—¡Qué difícil contestarte! Seguramente tú, como creador de personajes y, digámoslo así, experto en el alma humana, podrías encontrar respuestas más adecuadas. Y, desde luego, deben tenerlas otras personas que se dedican al estudio de estas cuestiones desde la sociología, por ejemplo. Vamos, que a poco prudente que yo fuera, no debería atreverme ni siquiera a meter un pie en ese charco. De todos modos, intentaré ofrecerte mis puntos de vista, probablemente algo confusos.

En primer lugar, creo que mucha gente no sabe lo que está ocurriendo, no es verdaderamente consciente del problema y de su trascendencia (según una encuesta reciente, por ejemplo, más del cuarenta por ciento de la población de Estados Unidos considera preferible «esperar y ver» a tomar medidas contra el cambio climático). Por eso es tan importante contarlo. Falta información y falta educación. Fíjate que incluso alguien como tú, especialmente sensibilizado e ilustrado, vacila antes de reconocer las graves consecuencias de la pérdida de especies. Se ha dicho a menudo que sólo una sociedad bien informada es una sociedad libre. Pero hay un problema añadido y es que, muy probablemente, una parte de la población prefiere no saberlo («bastantes líos tengo ya en casa para que me vengan a sermonear con los de fuera», sería, más o menos, la justificación). No sé si eso es el miedo a la libertad, del que hablaba Erich Fromm, pero si no lo es, se le parece mucho. Otro autor famoso, Garret Hardin, que puso de moda la expresión «la tragedia de los comunes» para referirse a la dificultad de proteger los bienes colectivos, como el ambiente, lo ha llamado el «factor avestruz». Parecería, dice, que metiendo la cabeza bajo la arena creemos que no está ocurriendo lo que no podemos ver. Además, una parte de los creadores de opinión, con una actitud muy frívola, afirman lo que a mucha gente le gustaría creer: «Aquí no pasa nada, todo son alarmismos sin fundamento de los agoreros». Hace unos meses oí a un tertuliano radiofónico, sociólogo por más señas, asegurar sin reparos que el cambio climático era una superchería. ¡Toma del frasco! Me indignó hasta el punto de que respondí gritándole al aparato de radio: «Pero ¿qué sabrá este tío?, ¿se creerá con más autoridad que los tres mil científicos del Grupo de Expertos de la ONU?». Todavía más recientemente, en un periódico, un escritor humorístico despotricaba del Protocolo de Kioto y, tras explicarnos que Kioto estaba en Japón, acababa preguntándose si íbamos a tolerar que los japoneses nos dijeran lo que teníamos que hacer. Naturalmente, aportaciones de este tipo no contribuyen nada a la sensibilización de la sociedad.

Por otro lado, están las dificultades reales. No es un problema sencillo y por eso no se ha resuelto. Estabilizar la población mundial, por ejemplo, un requisito imprescindible, requiere llevar la cultura, la educación y la higiene a todos los rincones del Planeta, exige que las mujeres estén mejor informadas y puedan decidir lo que quieran, y nada de eso es fácil de conseguir. Incluso a niveles más cercanos, las cosas son complicadas desde el punto de vista moral, social y económico. Ya lo dijimos hablando de lo que debería hacerse para mitigar el calentamiento general. Conocemos las recetas, pero no estamos seguros de cuál es la mejor forma de aplicarlas, cuál tendrá menos costes. Es muy fácil decir que la combustión de carbón, que es la que produce más CO_2, tiene que eliminarse con urgencia, pero es mucho más difícil ponerlo en práctica, cerrar las minas. Para empezar, los empresarios españoles han advertido que la economía del país puede resentirse a partir de 2008 si se obliga a cumplir con los compromisos de Kioto, y algunos han sugerido que podrían trasladar sus negocios a otros lugares.

Ante la amenaza de crisis cercana, mucha gente prefiere cerrar los ojos y dejar las cosas como están. Tanto más si, como suele ocurrir, tendemos a refugiarnos en un cierto providencialismo, en el viejo dicho «Dios proveerá». A menudo se oye: «Si siempre, hasta el momento, la humanidad ha encontrado remedio a sus problemas, ¿por qué ahora no va a ocurrir lo mismo?». Pero ese planteamiento tiene truco, pues no es verdad que siempre se hayan resuelto los problemas (muchas civilizaciones han caído por causas relacionadas con el ambiente) y tampoco las dificultades han sido antes tan alarmantes como las actuales.

Existe también, me parece, cierto fatalismo, que quizás algunos discursos como el nuestro puedan alimentar. La gente instruida, en este caso, podría decir: «Soy consciente de que hay un problema, pero es tan gordo, tan gordo, que queda por completo al margen de mis posibilidades de actuación. Yo me inhibo; yo no puedo hacer nada». Algo hay de cierto en este planteamiento, pues una crisis ambiental de proporciones globales, que afecta a toda la Tierra, sólo puede solucionarla un cambio de magnitud parecida. Pero volvemos a lo de antes: los ciudadanos tenemos que desempeñar un papel importante forzando a las empresas y a los gobernantes a cambiar. Si no lo hacemos, ocurrirá lo que ya está ocurriendo, que unos por otros dejaremos la casa sin barrer.

En todo caso, reconozco que personalmente me cuesta decidir, cuando se trata de dar la voz de alarma, qué es pasarse y qué quedarse corto. Un discurso demasiado dramático, del tipo «el barco se hunde; sálvese quien pueda», tal vez asuste en demasía a la gente, que se retraería de actuar. Pero otro dulcificado en exceso, del estilo «yo sólo aviso y el que avisa no es traidor», podría llevarlos a considerar que el problema no es muy serio, y tampoco actuarían. En fin, es un lío. Casi siempre que intento convencer a otros de la gravedad del problema acabo con una sensación agridulce, y sospecho que ellos también.

—*Dices cosas sensatas, pero me da la impresión de que utilizas más justificaciones que explicaciones. ¿Sugieres, acaso, que en este conflicto no hay intereses egoístas, problemas éticos? ¿Crees que no hay culpables?*

Ética y medio ambiente

—De ninguna manera. Hay intereses poderosos y bien conocidos detrás de los que pretenden que las cosas sigan como están. Antes te hablaba de liderazgos. Pues bien, en pura lógica debería corresponder a Estados Unidos liderar el cambio mundial desde una economía basada en los combustibles fósiles a otra basada en energías limpias. Pero ¿está en condiciones de hacerlo? El *lobby* más poderoso de aquel país, hoy por hoy, es el de las empresas del petróleo y el gas. Todos sabemos cómo se las gastan (el grito de «no más sangre por petróleo» es de una crudeza y un realismo que sobrecogen). Este *lobby* capaz de encender guerras, de sufragar gastos militares para garantizarse el petróleo de Oriente Próximo a mayor precio del que cuesta el propio petróleo, de proponer la descatalogación del refugio natural más importante de Alaska para explotar sus yacimientos de crudo, ¿cómo va a ratificar el Protocolo de Kioto? ¿De verdad podemos creer que le preocupa más el futuro de la humanidad que sus propios intereses? Sólo un ejemplo. En abril de 2002, el director desde hacía años del Grupo de Expertos de la ONU sobre cambio climático, el doctor Watson, representante de Estados Unidos y sinceramente preocupado por su misión, fue cesado tras una fuerte campaña diplomática en su contra. Poco antes se había filtrado un informe de varias empresas petroleras que proponían a la administración Bush la estrategia a seguir hasta conseguir que Watson fuera sustituido por «otra persona más amistosa». En aquella ocasión un meteorólogo ecologista afirmó: «Hasta los más cínicos deben de estar sorprendidos por la desfachatez con que la delegación americana defiende su política en pro del petróleo». Claro que, por otra parte, cabe decir que si bien Estados Unidos no lidera el cambio mundial hacia una economía basada en energías diferentes, sí que se posiciona para cuando ese cambio sea inevitable, apostando en la sombra por el avance en las tecnologías de las energías renovables. Seguramente, como cantara Luis Eduardo Aute, «pretende no perderse ningún tren».

Suele atribuirse el desinterés por el futuro del medio ambiente a la ausencia de una ética intergeneracional. En otras palabras, se supone que, aunque casi nunca lo hagamos, deberíamos adoptar las decisiones de hoy teniendo en cuenta las condiciones en que vamos a dejar el mundo para los hombres de mañana. Probablemente, sin embargo, este discurso se ha quedado, al menos en parte, anticuado, puesto que las decisiones de hoy ya están haciendo sufrir a las generaciones de hoy. Ya estamos purgando nuestros pecados. No hay que discutir, por tanto, los pros y los contras de una ética intergeneracional aparentemente contrapuesta a otra ética intrageneracional. Hay que hablar sólo de ética, para todos y para todo tiempo.

—*Ética que sin duda nos lleva a topar con los pobres, capa humana sobre la que repercuten todos los problemas, especialmente los más graves, ¿no es cierto?*

—Por muchas razones, los problemas ambientales ya están afectando con mayor gravedad a los más pobres del mundo que, reitero, son los que menos culpa tienen. Casi todos los países desarrollados están en latitudes altas (en el hemisferio norte y también en el sur) y ya te dije que a ellos puede hasta beneficiarles, de alguna manera, el cambio climático, puesto que las temperaturas serán más benignas (de hecho, algunas cosechas ya rinden más, y los frutos son más tempranos que antes, en el centro y norte de Europa; también, como dijimos, gastan menos en calefacción). Por añadidura, los países pobres tienden a ser los más poblados y, en consecuencia, los sometidos a mayores tensiones ambientales, como las derivadas de la escasez de agua, la erosión del suelo y la consiguiente desertificación. Por otra parte, cuanto más desarrollado está un país, mejor preparado se encuentra para adaptarse a los cambios y superar las posibles catástrofes: como bien sabemos, una gran tormenta tropical tal vez cause en Florida cuatro o cinco muertes, pero el mismo huracán, en Haití, matará a miles de personas. Nada necesito decirte de la diferente capacidad de respuesta de ricos y pobres ante las enfermedades. Basta con recordar lo que ocurrió con el «mal de las vacas locas», una enfermedad que se originó en Europa, una tierra de ricos. Aunque apenas contagió a nadie y los síntomas de los afectados se demoraban muchos años en aparecer, se gastó muchísimo dinero en investigar sobre ella, y no digamos en erradicarla; se actuó, en definitiva, como había que actuar, porque podía hacerse. Pero marca un agudo contraste con la incapacidad de los países pobres para eliminar la malaria, que mata cada año a millones de seres, o incluso con el hecho de que en el mundo en desarrollo muchos niños sigan muriendo de simples diarreas que podrían curarse con un poco de atención.

¿Es posible que los ciudadanos de los países ricos estemos siendo poco activos en la lucha por el medio ambiente porque sabemos que, ocurra lo que ocurra, no lo pasaremos tan mal como otros? En este sentido, es demoledor, por cínico y deshumanizado, el argumento de que una importante crisis mundial que redujera el número de los más humildes (que precisan recursos comunes, como el agua, y producen residuos indeseables, como el CO_2, y, sin embargo, están excluidos del «sistema global», en el sentido de que no consumen mercancías comercializadas por las empresas multinacionales), podría ayudar a solucionar los problemas del capitalismo. Esta posibilidad fue denunciada hace años por Susan George, hoy una elegante septuagenaria convertida en icono de los antiglobalización, en un ensayo de ficción titulado *El informe Lugano*, que tu nieta Rocío devoró y subrayó apasionadamente. La señora George presenta, como si fuera real, el documento confidencial que un grupo de expertos muy bien remunerado habría elaborado, a petición de unos anónimos solicitantes, sobre las amenazas al capitalismo y las estrategias a seguir para mantenerlo triunfante a lo largo del siglo XXI. ¿Cuál es la conclusión de los estudiosos? Sencilla: sobran pobres. En el mundo sobran muchos pobres. Los excluidos no han sido aún suficientemente excluidos; deberían desaparecer. Si se pretende evitar el desastre hay que eliminar a cientos de millones de ellos, e incluso se recomienda en el informe la manera de hacerlo. De forma casi profética, el comité de sabios de ficción, al que se ha pedido expresamente que «deje a un lado sentimientos y prejuicios», propone cosas tan estremecedoras como echar mano de la guerra, ya que también en el mundo actual la guerra constituye, «junto a la enfermedad y el hambre [...], una estrategia de reducción de la población muy prometedora»; y aludiendo al terrorismo enseguida plantea, aunque el libro está escrito antes del atentado del 11 de septiembre de 2001, «orientar a la opinión pública (a favor de la guerra) debería ser algo relativamente sencillo, porque la amenaza (de la barbarie terrorista) es real». Recientemente, Susan George reiteró que nadie ha sido capaz, hasta ahora, de desmentir sus datos ni de encontrar fallos a su argumentación, e incluso que teme que planteamientos como el de *El informe Lugano* disten de ser mera ficción y puedan existir en la realidad. Naturalmente, ése es un terreno abonado para que prosperen rumores del tipo de los que sostienen (con poco fundamento, es cierto) que el SIDA y otras enfermedades que asolan especialmente al Tercer Mundo han nacido en laboratorios occidentales.

—¡Calla, por favor! Ahora soy yo el que prefiere no saber más. Me temo que sea hora de cerrar la tienda y depositar nuestra confianza en la última reserva moral de la humanidad. Ojalá se active pronto y lleguemos a tiempo de remediar las cosas.

—Te anticipo algo: Susan George, aunque otra cosa pudieras pensar, no es pesimista. Dice que «estamos en un momento histórico. Hay un mundo de jóvenes que parecen considerarse ciudadanos del mundo. Creo que es el comienzo de un cambio». ¿No te suena parecido a lo que afirmabas tú al final del discurso de entrada a la Academia? Te lo recuerdo. Entonces apelabas a esa conciencia moral universal que, por encima del dinero y los intereses políticos, «viene exigiendo juego limpio en no pocos lugares de la Tierra». Y añadías: «Esta conciencia, que encarno preferentemente en un amplio sector de la juventud, que ha heredado un mundo sucio en no pocos aspectos, justifica mi esperanza». No hay que rendirse, pues. Todos los expertos coinciden en que la ciencia es incapaz de predecir el mundo que vendrá, porque depende en gran medida de las decisiones que, individual y colectivamente, tomemos los humanos. En otras palabras, que el futuro no está escrito, que, en palabras de Salvador Allende, «la historia está en nuestras manos». Debemos seguir luchando, por tanto, porque además, como tú dices, aún estamos a tiempo.

—Que Dios te oiga, hijo, por el bien de todos.

Bibliografía

Las fuentes documentales de este libro, en forma de artículos científicos, notas de prensa de organismos internacionales y de centros de investigación, conversaciones con estudiosos, páginas de internet, etc., son demasiado numerosas y dispersas para recogerlas aquí. Además, se han consultado en distintos idiomas y no son fáciles de localizar para los no habituados a manejar la literatura científica. En lugar de ello, proponemos una lista de libros en castellano, en su mayoría publicados recientemente y por ello fácilmente asequibles, que pueden permitir a los más interesados ampliar sus conocimientos y abrir nuevos caminos de estudio, así como una lista de direcciones de internet.

Libros para saber más

ARAÚJO, JOAQUÍN, 2004. *La ecología contada con sencillez*. Maeva Ediciones, Madrid.
   Una introducción muy personal, desde el humanismo y bajo un prisma ético y moral, a los conceptos básicos de la ecología humana, tales como el desarrollo sostenible, la crisis de la energía, el necesario respeto a todas las formas de vida, la desertización, el reciclaje, etc., poniendo de manifiesto que sólo una sociedad impregnada de cultura ecológica podrá evitar el deterioro irreversible del Planeta.

BROWN, LESTER, 2004. *Salvar el planeta. Plan B: Ecología para un mundo en peligro*. Editorial Paidos, Controversias, Barcelona.

Vivimos por encima de las posibilidades de la Tierra, sumidos en una enorme burbuja ecológica y por ende económica. «El plan B es una movilización a gran escala para desinflar la burbuja económica mundial antes de que estalle. Para ello será necesario un nivel de cooperación internacional sin precedentes que permita estabilizar la población, el clima, los niveles freáticos y los suelos, y que se produzca a un ritmo de tiempos de guerra», afirma el autor al comenzar el libro.

CARSON, RACHEL L., 2001. *La primavera silenciosa*. Crítica-Drakontos, Barcelona.

Clásico publicado por primera vez en 1962. Se ha considerado a nivel popular en Estados Unidos el libro más influyente de toda la segunda mitad del siglo XX. *Centrado originalmente en los efectos perniciosos de los pesticidas sobre las aves, trascendió este objetivo al referirse a los riesgos para la salud humana, motivando la creación de la famosa Agencia de Protección Ambiental norteamericana.*

DELIBES, MIGUEL, 1979. *Un mundo que agoniza*. Plaza & Janés, Barcelona.

Sobre la base de su discurso de entrada en la Real Academia de la Lengua, el autor lanza un poderoso y apasionado alegato en pro de la defensa del medio ambiente y de un progreso con rostro humano.

DELIBES DE CASTRO, MIGUEL, 2001. *Vida. La naturaleza en peligro*. Temas de Hoy, Madrid, y Booket, Barcelona.

Una introducción al concepto de biodiversidad y una descripción de las principales amenazas que penden sobre ella y de las consecuencias de su pérdida para el conjunto de la humanidad.

DE VILLIERS, MARQ, 2001. *Agua. El destino de nuestra fuente de vida más preciada*. Ediciones Península, Barcelona.

Interesante y bien documentado repaso de la situación histórica y actual del agua dulce en el mundo, los problemas que ha planteado y los que puede plantear. Evita, según palabras del autor, «tanto la novelesca atracción por el Apocalipsis de los verdes, como la fatal estrechez de miras de los apóstoles del libre mercado».

GOMENDIO, M. (ed.), 2004. *Los retos medioambientales del siglo XXI. La conservación de la biodiversidad en España*. Fundación BBVA-Consejo Superior de Investigaciones Científicas, Madrid.

Una treintena de investigadores españoles abordan desde distintas perspectivas, con rigor y claridad, tanto la situación de algunas especies emblemáticas ibéricas como el marco de crisis global medioambiental que origina sus problemas y condiciona las posibles soluciones.

LÓPEZ BERMÚDEZ, FRANCISCO, 2002. *Erosión y desertificación. Heridas de la Tierra*. Nivola Libros, Madrid.

Sólida, clara y más bien académica introducción a los conceptos de erosión eólica e hídrica, a los métodos para evaluarlas, al controvertido término de desertificación, con sus implicaciones sociales y ambientales, a los esfuerzos para mitigarla, etc. La erosión y desertificación afectan a casi la mitad de las tierras emergidas del Planeta, incluyendo buena parte de la Península Ibérica, lo que supone una pérdida de la fertilidad natural del suelo y pone en peligro los recursos que soportan la vida humana.

151

Lynas, Mark, 2004. *Marea alta. Noticias de un mundo que se calienta y cómo nos afectan los cambios climáticos.* RBA Libros, Barcelona.

Relato casi periodístico de los efectos del cambio climático en distintas localidades distribuidas por prácticamente la totalidad de los continentes, desde Inglaterra a Perú y de China a Alaska y el archipiélago de Tuvalu. Tres años viajando por el mundo han permitido al autor conocer directamente las consecuencias actuales y potenciales del calentamiento mundial que ya está en marcha.

Sartori, Giovanni y Mazzoleni, Gianni, 2003. *La Tierra explota. Superpoblación y desarrollo.* Taurus, Santillana, Madrid.

Una advertencia sobre los riesgos del exceso de población. Aun en el supuesto altamente improbable de que los países ricos redujeran a la mitad su nivel de consumo, una población de nueve mil millones de almas, que puede alcanzarse mediado este siglo, excede con mucho el punto de no retorno ambiental, más allá del cual se destruyen las propias condiciones de vida.

Wilson, Edward O., 2002. *El futuro de la vida.* Galaxia Gutenberg, Círculo de Lectores, Barcelona.

Un expresivo y bien documentado grito a favor de la diversidad de la vida en la Tierra. «De continuar los actuales niveles de consumo —afirma el autor, uno de los más prestigiosos conservacionistas mundiales— la mitad de las especies del Planeta desaparecerán a mediados del presente siglo.»

Direcciones de internet para saber más

En la actualidad, los ordenadores personales permiten acceder con gran facilidad a través de la red a una cantidad ingente de información, aunque no siempre contrastada. Las direcciones de internet que se presentan a continuación son tan sólo algunos puertos fiables desde los que iniciar la navegación por el proceloso mar de la información ambiental, ya que todas ellas disponen de numerosos enlaces con direcciones relacionadas en prácticamente todo el mundo.

http://www.ambiente-ecologico.com
Portal de divulgación de temas ambientales y calidad de vida.

http://www.eea.eu.int
Portal de la Agencia Europea de Medio Ambiente.

http://www.infoecologia.com
Revista de ecología y medio ambiente, con muchas noticias de actualidad.

http://www.ipcc.ch
Portal oficial del Panel Intergubernamental sobre Cambio Climático de las Naciones Unidas.

http://www.mma.es
Portal del Ministerio de Medio Ambiente, con numerosas secciones sobre diferentes problemas ambientales y acerca de las políticas españolas y europeas al respecto.

http://www.nodo50.org/worldwatch
«La información vital del planeta» a través del portal de la sección española del prestigioso Worldwatch Institute.

http://www.terra.org
Portal de ecología práctica, con más de 1.000 páginas de información ambiental.

http://www.unep.org
Portal del Programa de las Naciones Unidas sobre el medio ambiente y el desarrollo.

http://www.wri.org
Portal del World Resources Institute, organismo no gubernamental que trabaja para hacer compatibles el medio ambiente saludable con una economía sólida.

http://www.wwf.es
Portal de WWF-ADENA, permanentemente actualizado, que ofrece la posibilidad de participar en campañas por el clima y otras.

Agradecimientos

Todos los defectos que puedan achacarse a este libro son, naturalmente, responsabilidad exclusiva de los autores. No obstante, tales defectos serían mucho más numerosos de no haber mediado algunos colegas, amigos y familiares que han leído todo o parte del texto y han contribuido a mejorarlo, detectando omisiones y subsanando errores. Se trata de María del Carmen Blázquez, Sonia Cabezas, Sofía Conradi, Ana Cuadrado, José Juan Chans, Adolfo Delibes, Elisa Delibes, Germán Delibes, Juan Delibes, Miguel Delibes Mateos, Rocío Delibes Mateos, José Antonio Godoy, Isabel de Haro, Isabel Mateos, Javier Mateos, Juan Carlos del Olmo, José Paruelo, Josep Peñuelas, José Prenda, Alejandro Rodríguez y Luis Silió. Desde aquí expresamos a todos ellos, así como al equipo editorial de Ediciones Destino, nuestro profundo agradecimiento.

Créditos fotográficos